INICIAÇÃO À FONÉTICA E À FONOLOGIA

Dinah Callou
Yonne Leite

Iniciação à Fonética e à Fonologia

10ª reimpressão

ZAHAR

Jorge Zahar Editor Ltda.
rua Marquês de S. Vicente 99 – 1º
22451-041 Rio de Janeiro, RJ
tel (21) 2529-4750 | fax (21) 2529-4787
editora@zahar.com.br | www.zahar.com.br

Grafia atualizada respeitando o novo
Acordo Ortográfico da Língua Portuguesa

10ª reimpressão da 3ª edição revista: 2015

Composição: TopTextos Edições Gráficas

CIP-Brasil. Catalogação na fonte
Sindicato Nacional dos Editores de Livros, RJ.

Callou, Dinah
C162i Iniciação à fonética e à fonologia/Dinah Callou, Yonne Leite. –
3.ed. 3.ed.rev. – Rio de Janeiro: Zahar, 1994.
(Coleção Letras)

Inclui bibliografia
ISBN 978-85-7110-096-1

1. Fonética. 2. Fonologia. I. Leite, Yonne. II. Título. III. Série.

CDD: 412
09-2332 CDU: 81'342

Sumário

Índice das figuras

Nota prévia

Este livro se destina aos alunos de graduação e pós-graduação em língua vernácula ou em linguística que se iniciam formalmente em fonética e fonologia.

O que aqui se apresenta é fruto de nossa experiência pessoal em cursos individuais e conjuntos dados no decorrer de vários anos na Faculdade de Letras e no Museu Nacional da UFRJ e de trabalhos de pesquisa com vários dos temas tratados.

Os três primeiros capítulos foram construídos de modo a poderem ser usados independentemente. Constantes remissões possibilitam expandir as noções apresentadas em cada capítulo.

Procuramos sempre que possível usar exemplificação calcada em línguas do Brasil, quer a oficial — o português —, quer as faladas pelas populações indígenas que habitam o país.

Não se privilegiou uma determinada teoria, embora maior ênfase tenha sido dada ao estruturalismo do Círculo Linguístico de Praga e ao norte-americano, assim como à teoria gerativa por serem estas as correntes em que maior número de trabalhos foi produzido.

O nosso intuito é não só apresentar as teorias vigentes, mas sobretudo mostrar como praticá-las, fornecendo as informações necessárias de trabalhos já feitos, de modo a dar ao leitor a base indispensável para um entendimento efetivo do pensamento atual em fonologia.

I

O objeto da fonética e da fonologia

Enquanto a fonética estuda os sons como entidades físico-articulatórias isoladas, a fonologia irá estudar os sons do ponto de vista funcional como elementos que integram um sistema linguístico determinado. Assim, à fonética cabe descrever os sons da linguagem e analisar suas particularidades articulatórias, acústicas e perceptivas. À fonologia cabe estudar as diferenças fônicas intencionais, distintivas, isto é, que se vinculam a diferenças de significação, estabelecer como se relacionam entre si os elementos de diferenciação e quais as condições em que se combinam uns com os outros para formar morfemas, palavras e frases. A fonética se distingue, pois, da fonologia pelo fato de considerar os sons independentemente de suas oposições paradigmáticas — aquelas cuja presença ou ausência importa em mudança de significação (pala: bala: mala: fala: vala: sala: cala: gala etc.) — e de suas combinações sintagmáticas, ou seja, os seus arranjos e disposições lineares no contínuo sonoro (Roma, amor, mora, ramo etc.).

A unidade da fonética é o som da fala ou o fone, enquanto a unidade da fonologia é o fonema.

Fonética e fonologia têm sido entendidas como duas disciplinas interdependentes, uma vez que para qualquer estudo fonológico é indispensável partir do conteúdo fonético, articulatório e/ou acústico para determinar quais são as unidades distintivas de cada língua. A caracterização da fonética como ciência que trata da *substância* da expressão e da fonologia como a ciência que trata da *forma* da expressão é aceita pela maioria dos linguistas por não implicar a oposição entre os dois campos do conhecimento, nem sua independência e autonomia.

Na escola norte-americana, o termo fonêmica em lugar de fonologia teve grande penetração, principalmente entre os estruturalistas. Na Europa, alguns fonólogos preferiram a designação fonemática. No entanto, fonologia e fonêmica só podem ser considerados equivalentes se tanto os elementos segmentais quanto os suprassegmentais puderem ser analisados como fonemas, visão esta não compartilhada por alguns fonólogos da escola britânica. No modelo firthiano, fonemática abrange apenas o estudo dos fonemas segmentais que ocorrem em sequência linear, tal como as vogais e consoantes, não incluindo os elementos prosódicos.

Os termos fonética e fonologia têm em sua composição vocabular a raiz grega *phon* — som, voz. O termo fonologia, cunhado por volta do final do século XVIII, teve, a princípio, a acepção de ciência dos sons da fala e só a partir de 1928 passou a ter o sentido que tem hoje. A contribuição de Ferdinand de Saussure e Baudoin de Courtenay foi decisiva para a mudança de interpretação linguística do termo.

Baudouin de Courtenay, em fins do século XIX, foi um dos primeiros a tentar distinguir de modo mais sistemático o estudo dos elementos que têm um papel na significação (os *fonemas*) — estudo esse que denominou psicofonética — daqueles que são o resultado das realizações individuais dos falantes (os *fones* ou *sons* da fala). A esse estudo deu o nome de fisiofonética.

Ferdinand de Saussure no *Curso de linguística geral* distingue fonética de fonologia, reservando à fonética o seu uso original de estudo das evoluções dos sons. Segundo ele "a fonética é uma ciência histórica, analisa acontecimentos, transformações e se move no tempo. A fonologia se coloca fora do tempo, já que o mecanismo da articulação permanece sempre igual a si mesmo." (SAUSSURE, 1969, p. 43.)

Embora essa concepção esteja distinta das acepções atuais dos dois termos, a distinção entre fonética e fonologia foi possível a partir do pensamento saussuriano, pelo uso de suas noções de língua (*langue*) e fala (*parole*), forma e substância, sintagma e paradigma. É somente com os trabalhos de Trubetzkoy, Jakobson e outros componentes do Círculo Linguístico de Praga, no 1º Congresso Internacional de Linguística (Haia, 1928) que a fonologia se constitui como um campo distinto da fonética, tendo um objeto próprio de estudo.

A autonomia da fonética em relação à fonologia é tema controverso. Conforme se verá adiante, o termo fonética pode significar tanto o estudo de qualquer som produzido pelos seres humanos quanto o estudo da articulação, acústica e percepção dos sons utilizados em línguas específicas. No primeiro tipo de investigação fica evidente a autonomia da fonética com relação à fonologia, já no segundo as conexões entre as duas ciências se tornam patentes. A perspectiva adotada por LADEFOGED (1971) é um excelente exemplo da interdependência dos dois campos, perspectiva essa que será adotada nos diversos parágrafos da seção seguinte.

1. Fonética

a) A produção dos sons na linguagem humana

Falar é tão natural para os seres humanos, como o são o olfato, a visão e o paladar, que só nos detemos para examinar seu funcionamento nos casos de deficiência ou de privação. No entanto, é essa capacidade de falar do modo como o fazemos que singulariza o homem de todos os outros animais.

É comum, ao falarmos sobre a linguagem, ter como ponto de referência a língua escrita. E, muitas vezes, o estudo dessa faculdade distintiva da espécie humana fica reduzido ao estabelecimento das regras do bem escrever das quais se derivariam as regras do bem falar. A linguagem é, porém, uma atividade primordialmente oral. A importância atribuída à língua escrita, importância essa que ocasiona até mesmo uma inversão dos fatos, advém do papel capital que a escrita desempenha nas sociedades complexas e de massa para a coesão política e social e para a comunicação a longa distância. A história dessas sociedades revela, contudo, que o uso difundido e sistemático da escrita é relativamente recente em comparação às centenas de anos em que era privilégio de uns poucos ou aos vários séculos durante os quais nem mesmo existia. Ainda hoje há povos que nunca desenvolveram um sistema de escrita e as línguas por eles faladas em nada diferem, em essência, das línguas faladas pelas populações letradas.

Quais são, então, essas características definidoras da linguagem humana, que a distinguem de outros sistemas simbólicos que também servem para a comunicação (os gestos, os vários tipos de códigos, a linguagem das abelhas) e de outros sistemas a que também se atribuem valores representativos (o simbolismo das flores, das cores etc.)?

A linguagem humana se distingue dos demais sistemas simbólicos por ser segmentável em unidades menores, unidades essas em número finito para cada língua e que têm a possibilidade de se recombinarem para expressar ideias diferentes. O contínuo sonoro pode, pois, ser escondido em segmentos linearmente dispostos cuja presença ou ausência, assim como sua ordem, tem uma função distintiva, isto é, ocasiona mudança no significado de uma palavra. Assim distinguimos 'parte' de 'arte' porque na primeira palavra há um segmento *p* inexistente na segunda. Já em 'Roma' e 'amor' é a ordem dos segmentos que diferencia os dois vocábulos.

As unidades constitutivas do contínuo sonoro são produzidas por um mecanismo fisiológico específico a que se convencionou chamar *aparelho fonador*, e do qual fazem parte os pulmões, a laringe, a faringe, as cavidades oral e nasal. Observe-se que as partes constitutivas do aparelho fonador têm funcionamentos outros, distintos dos usados para a produção dos sons. Assim os pulmões e a cavidade nasal têm um desempenho específico no processo de respiração, mas para a produção do som servem de câmara iniciadora da corrente de ar, e a cavidade nasal funciona como câmara de ressonância para a produção dos sons nasais ou nasalizados. A diferença no funcionamento dos pulmões e das fossas nasais para as duas atividades — a respiração em repouso e a respiração para a fala — se evidencia pelo fato de que na respiração em repouso há uma perfeita sincronia entre a atividade dos músculos inspiratórios e o aumento do volume da cavidade torácica, atividade essa que cessa quando se inicia o movimento expiratório e consequente diminuição do volume torácico. Para a fala a atividade dos músculos inspiratórios continua na fase expiratória. Na respiração vital o ar sai pelo nariz e na respiração para a fala o ar sai pela boca. Os dentes e a língua são órgãos cruciais para a trituração dos alimentos mas na produção dos sons passam a articuladores que modificam a corrente de ar egressa dos pulmões.

Costumava-se, por isso, dizer que a linguagem é uma função secundária ou sobreposta, desempenhada por vários órgãos cujas funções biológicas primárias são de outra ordem. Essa perspectiva é, hoje em dia, ao menos polêmica por estar subjacente à teoria psicológica que considera a linguagem uma capacidade adquirida e não uma faculdade inata da espécie humana. Os argumentos em que se ancora a posição de que a linguagem é uma faculdade inata se derivam dos mecanismos do tipo que vimos no parágrafo anterior: qualquer atividade que requeira uma sustentação do movimento inspiratório é penosa e arduamente aprendida, como por exemplo, nadar por debaixo d'água, tocar flauta etc. Porém, uma criança começa a falar sem que jamais faça um treinamento específico para controlar esse mecanismo.

A finalidade última da linguagem é a comunicação. Um meio de representar esquematicamente o mecanismo da comunicação é imaginar uma fonte (o falante), um transmissor (o aparelho fonador), um canal (o ar atmosférico), um receptor (o aparelho auditivo) e um alvo (o ouvinte). Um ser humano tem algo a exprimir a outrem e para tal entra em funcionamento o seu sistema nervoso, impulsionando o aparelho fonador que opera sobre a informação a ser transmitida e a codifica em determinados padrões de ondas sonoras (a linguagem, o código, a mensagem). Essa operação é denominada codificação. As ondas sonoras, emitidas pelo falante, são conduzidas pelo ar atmosférico circundante indo atingir o aparelho auditivo do ouvinte, que capta os sons convertendo as ondas sonoras em atividade nervosa que é levada ao cérebro. Essa operação é denominada decodificação. Está fechado o circuito e o processo pode repetir-se passando o ouvinte a falante. No estudo da faculdade de linguagem costuma-se imaginar uma mesma pessoa como fonte e receptora de um falante-ouvinte.

A produção dos sons é assim estudada de três ângulos diversos: 1) partindo-se do falante (da fonte) e examinando-se o que se passa no aparelho fonador; 2) focalizando-se os efeitos acústicos da onda sonora produzida pela corrente de ar em sua passagem pelo aparelho fonador ou, então, 3) examinando-se a percepção da onda sonora pelo ouvinte, isto é, o estudo das impressões acústicas e de suas interpretações no processo de decodificação.

A técnica mais difundida é a do exame da produção do som pelo aparelho fonador e registro de ouvido. Tal disciplina é denominada fonética articulatória ou fonética fisiológica. Embora os dados proporcionados pela análise acústica sejam mais objetivos, a maior utilização da fonética articulatória se deve à relativa simplicidade com que pode ser aplicada, em contraposição à fonética acústica, a qual exige um aparelhamento mais dispendioso, pouco acessível em países em desenvolvimento, ao lado de um conhecimento de física, fato pouco comum aos estudiosos da área de letras e linguística. Ademais, mesmo nos estudos em que se focalizam as propriedades físicas da onda sonora, quer na sua produção, quer na sua percepção, os princípios de segmentação e as unidades depreendidas pela fonética articulatória estão presentes, tornando-se indispensável, portanto, o seu conhecimento.

O ser humano é capaz de produzir uma gama variadíssima de sons vocais. Porém nem todos eles são utilizados para fins linguísticos de gerar, num enunciado, uma diferença de sentido por substituição ou por rearranjo. Por exemplo, o arroto, que é um som produzido com ar proveniente do esôfago, pode, em algumas culturas, exprimir plenitude após uma refeição. Mas em língua alguma funciona como um segmento na composição de palavras, formando com outros sons pares distintivos, como acontece, em português, na substituição do *p* de 'pata' por *m* em 'mata'. E mais, dentro do inventário de possibilidades usadas com fins fonológicos, cada língua seleciona apenas um subconjunto que utiliza com propósitos distintivos.

Assim a designação fonética articulatória tem dois sentidos. No mais amplo seu propósito é descrever qualquer som produzido pelos seres humanos; no mais restrito trata de esmiuçar os mecanismos existentes nas línguas humanas para comporem a enunciação. Beneficia-se da fonética experimental, isto é, de estudos que utilizam aparelhos como o oscilógrafo, o quimógrafo, o espectrógrafo, o sintetizador de fala, para um exame mais acurado da fisiologia acústica da produção dos sons. No capítulo II voltaremos a esse tópico.

b) O aparelho fonador e os mecanismos de produção dos sons

A Corrente de Ar

Os sons utilizados no exercício da linguagem humana são vibrações com frequências, intensidades e durações características, produzidas por uma coluna de ar em movimento, que, tendo início nos pulmões na fase expiratória do processo de respiração, percorre o chamado aparelho fonador.

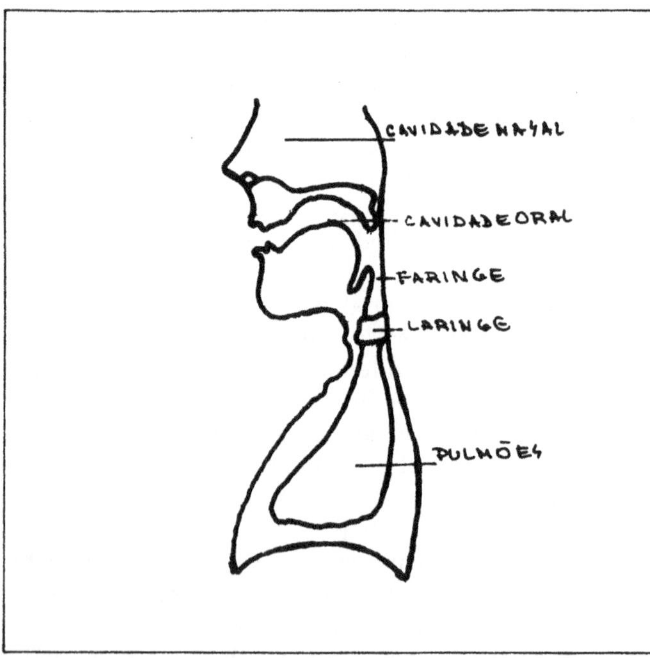

Fig. 1. Esquema do aparelho fonador

Para a produção dos sons com função distintiva utiliza-se a corrente de ar egressiva (sons plosivos) —, resultante da expulsão do ar dos pulmões, devido ao levantamento do diafragma pela ação dos músculos intercostais. Não se conhecem línguas que usem, para fins fonológicos, a corrente pulmonar ingressiva, isto é, a corrente de ar na fase inspiratória da respiração, embora sejam atestados casos em que esse mecanismo tem um uso paralinguístico.

A corrente de ar, iniciada nos pulmões, pode ser interrompida na glote ou na boca, formando, assim, novas câmaras que dão origem aos sons denominados ejectivos (ou glotalizados), implosivos e cliques. Nos sons ejectivos as cordas vocais ficam retesadas e fechadas, acarretando o levantamento da glote e a compressão da coluna de ar na faringe ou na boca. Nos sons implosivos, a glote se abaixa e o ar dos pulmões faz vibrarem as cordas vocais. Os sons ejectivos e implosivos são concomitantemente modificados pelos modos e áreas de articulação na cavidade supraglótica. O quéchua e o georgiano têm consoantes ejectivas oclusivas e em aramaico há ejectivas oclusivas e fricativas. O karajá, língua indígena brasileira, tem uma consoante implosiva alveolar [ɗ] que se opõe à oclusiva explosiva sonora [d] (FORTUNE & FORTUNE, 1963), como se pode ver nos pares [waɗɔ] 'tosse' [wadɔ] 'minha porção'.

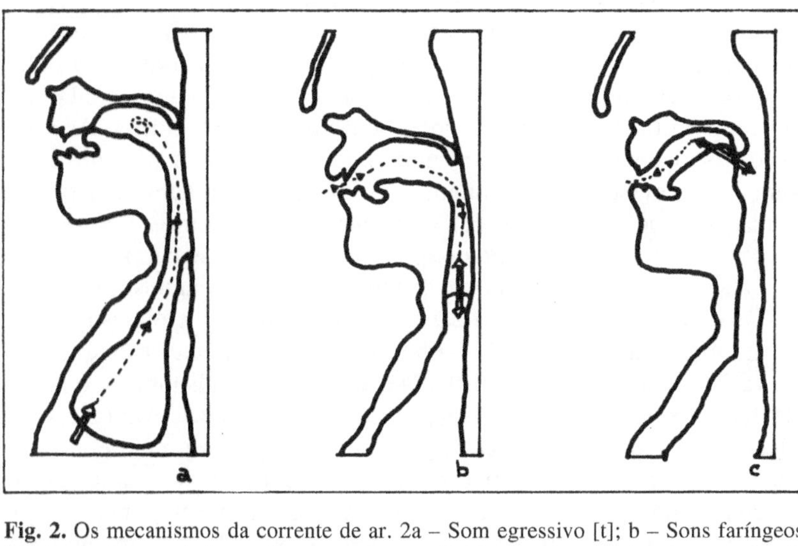

Fig. 2. Os mecanismos da corrente de ar. 2a – Som egressivo [t]; b – Sons faríngeos (a seta dupla para baixo indica a movimentação das cordas vocais para a produção dos sons implosivos, e para cima, dos sons ejetivos) e c – Cliques.

Os cliques são sons produzidos pelo ar retido na cavidade bucal, devido ao fechamento causado pela elevação da parte posterior da língua em direção ao palato mole e concomitante compressão dos lábios ou da ponta ou corpo da língua com os alvéolos ou palato. Esse mecanismo é sempre ingressivo. Línguas africanas, como o hotentote, o zulu e o bosquímano, têm cliques como unidades distintivas. Em português, os cliques têm um uso paralinguístico, por exemplo, o som do beijo que se lança à distância, o do muxoxo da admoestação ou o do estalar da língua para atiçar o cavalo.

A corrente de ar egressiva e as variações da pressão subglótica têm reflexos nos fenômenos suprassegmentais tais como acento de intensidade e tom; a ação dos músculos respiratórios associados à pressão subglótica está diretamente envolvida na produção das consoantes denominadas *forte* e *lene* que ocorrem em coreano (LADEFOGED 1971, p.24).

A Fonação

É na laringe, anel cartilaginoso situado na parte superior da traqueia, que se encontra o órgão que desempenha papel bastante complexo na produção dos sons na linguagem humana: as cordas vocais.

As cordas vocais têm a forma de dois lábios e são constituídas do músculo tireocricoide e de tecido elástico denominado ligamento. Uma de suas extremidades está unida às cartilagens aritenoides e a outra, à tireoide. A tireoide é vulgarmente conhecida por pomo de adão por ser uma protuberância no pescoço bem visível nos homens. As aritenoides são dotadas de vários movimentos devidos a um intrincado sistema de músculos, movimentos esses que ocasionam posições diversas das cordas vocais e, consequentemente, sons diferentes. A abertura triangular existente entre as cordas vocais se denomina glote.

Na respiração em repouso e na produção dos chamados *sons surdos* ou *desvozeados*, as cordas vocais estão separadas e a glote está aberta. O ar originado nos pulmões pode passar livremente sem que haja vibrações. Estando a glote fechada e as cordas vocais unidas, o ar tem de forçar sua passagem fazendo-as vibrar. Os sons resultantes são chamados *sonoros* ou *vozeados*. Exemplo de sons surdos, em português, é a pronúncia do primeiro segmento em palavras como 'cinco' e 'chá' e de sons sonoros, o primeiro segmento em 'zinco' e 'já'. Pode-se sentir essa diferença colocando-se os dedos levemente sobre o pomo-de-adão e dizendo-se essas palavras prolongando bem o primeiro segmento. Sente-se, assim, nitidamente uma vibração em 'zinco' e 'já' e sua ausência em 'cinco' e 'chá'.

É bastante comum o uso distintivo do vozeamento e do desvozeamento das consoantes. Em português, as séries oclusiva (pote: bote: cela: zela: cama: gama) e a fricativa (faca: vaca: cinco: zinco: chá: já) se opõem por esse traço. Em krenak, língua da família botocudo (Minas Gerais), a sonoridade tem um valor distintivo para as consoantes nasais (CRISTÓFARO, 1987). Em outras línguas a sonoridade ou ensurdecimento pode ter um valor apenas redundante. Em tapirapé, língua da família tupi-guarani, as consoantes oclusivas são sempre surdas e as nasais sempre sonoras. Já para as vogais, o desvozeamento, na maioria das línguas em que ocorre, não tem uma função distintiva.

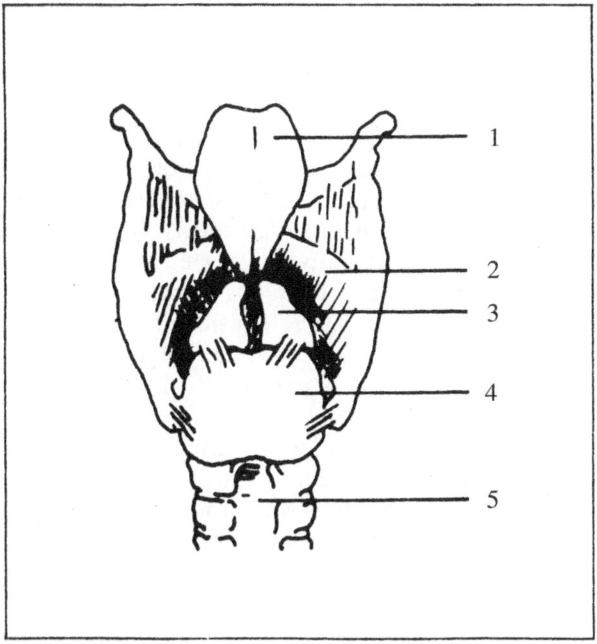

Fig. 3. A laringe vista por trás: 1. epiglote; 2. tireoide; 3. aritenoide; 4. cricoide; e 5. traqueia.

Há outras posições das cordas vocais. Nos sons sonoros as cordas vocais estão juntas em toda a sua extensão e a glote está igualmente fechada. Se, porém, devido ao afastamento das aritenoides houver uma pequena abertura na glote, o som resultante não é mais sonoro e sim *sussurrado*. Em português ocorrem vogais sussurradas em variação com vogais sonoras. Numa palavra como 'linguística' o *i* e o *a* após a sílaba tônica podem ser pronunciados com sonoridade ou com sussurro.

Quando a corrente de ar é bruscamente interrompida na glote pelo fechamento por um período mais prolongado das cordas vocais, o som resultante é denominado *oclusão*, ou *oclusiva*, glotal. A sequência ã'ã que se usa em português como resposta negativa a uma pergunta em lugar do advérbio 'não' muitas vezes tem uma oclusão glotal [?] entre as duas vogais nasais. Porém não há, em português, uma oposição distintiva entre a presença e a ausência da oclusão global. Já em tapirapé é ela indispensável para que se distinga o enunciado 'carne dele' [a?a] de 'ele vai' [aa].

Nos *sons aspirados*, as cordas vocais continuam abertas e não há vibração por um período mais prolongado após a soltura da articulação da consoante, quando os órgãos já estão posicionados para a produção do segmento seguinte. Assim, sons aspirados são vogais surdas produzidas com a mesma protrusão labial e altura da língua da vogal que se segue a uma consoante. Em inglês ocorrem oclusivas aspiradas que são variantes posicionais das oclusivas surdas. Em tai, porém, há oposição distintiva entre oclusivas surdas, sonoras e aspiradas.

Havendo uma vibração das cordas vocais, mas a parte das aritenoides permanecendo separada, pode ocorrer um escape extra de ar. Os sons assim produzidos são chamados *murmurados*. Devido a esse ar suplementar, os sons murmurados têm sido denominados consoantes sonoras aspiradas, confundindo, assim, murmúrio e aspiração, que, como se viu, são resultantes de aberturas da glote diferentes, posições essas não combináveis.

Tremulados são sons produzidos pela vibração lenta dos ligamentos das cordas vocais, permanecendo as aritenoides separadas. Tremulação e murmúrio podem ser usados com valor distintivo nas línguas: em gujarati e ndele, o murmúrio funciona como um traço fonêmico e em margi e lango, é a tremulação, também conhecida como *laringalização*, que é contrastiva (LADEFOGED, 1971, pp.13-15).

O tamanho e a espessura das cordas vocais, juntamente com outros determinantes anatômicos tais como tamanho da língua, forma e altura do palato, comprimento da distância entre a laringe e os lábios, são responsáveis pela caracterização individual da voz, distinguindo a voz infantil, a masculina, a feminina.

Resumindo, por processo fonatório, ou fonação, entendem-se os diversos estados da glote e consequente excitação acústica da corrente de ar ao passar pelas cordas vocais.

Para várias línguas, e entre essas se inclui o português, não há um conhecimento aprofundado do processo fonatório. Essa situação se verifica porque, nesse caso, não se trata apenas de detectar pela audição cuidadosa e imitação, técnicas por excelência da fonética articulatória, o mecanismo em funcionamento. Sonoridade, murmúrio, tremulação são fenômenos que traduzem graus maiores ou menores de fechamento da glote e de tempo de vibração dos ligamentos e cordas vocais. Essas quantidades podem ser medidas de modo não impressionístico por meio de aparelhos. As cordas vocais podem ser filmadas e radiografadas. Estudos dessa natureza inexistem ainda para um número significativo de línguas.

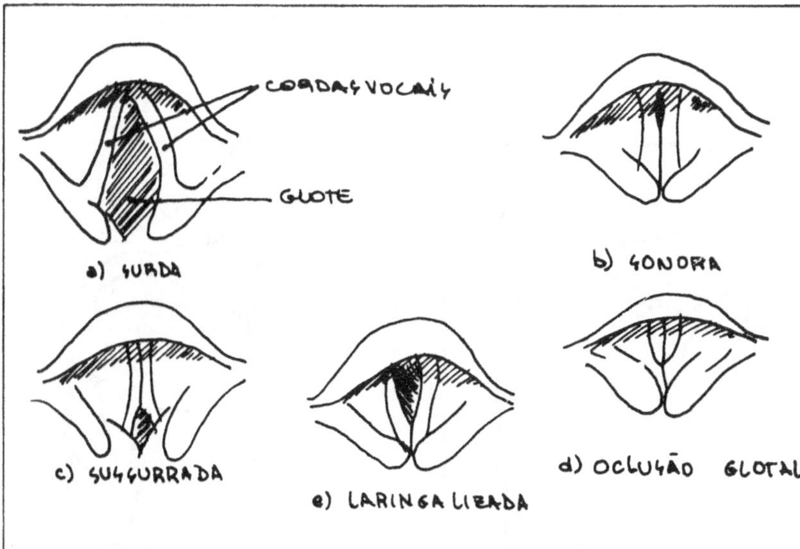

Fig. 4. Posições das cordas vocais no processo fonatório.

Nasalização

Após passar pela glote, a corrente de ar, ao encontrar a passagem nasofaríngea fechada pelo levantamento do véu palatino, escoa pela cavidade bucal, dando origem aos sons orais. Se, porém, o véu palatino estiver abaixado e a passagem nasofaríngea aberta, parte do fluxo de ar se desvia para a cavidade nasal, dando origem aos *sons nasais*. A figura 5 mostra, do lado esquerdo, a articulação de um som oral (oclusiva bilabial sonora [b]) e à direita, a de um som nasal (consoante nasal bilabial sonora [m]).

Na prática, distinguem-se os *sons nasais* dos *sons nasalizados*. Nos nasais há, além do abaixamento do véu palatino, uma obstrução na cavidade bucal, causada pela aproximação dos dois articuladores (figura 5b). É o que ocorre com as consoantes m [m], n [n] e nh [ñ] em *mama, mana, manha*. Para a pronúncia do [m], o obstáculo é formado na cavidade bucal pelo fechamento dos lábios, em [n] pela junção da ponta da língua com a parte posterior dos dentes e em [ñ] pela articulação da lâmina da língua com o palato duro. Não havendo obstrução total na cavidade bucal o ar escoa também pela boca e o som é chamado nasalizado. As vogais, as fricativas, as laterais, os flepes e tepes são sons que podem ser nasalizados, uma vez que para sua produção não há a obstrução na cavidade bucal.

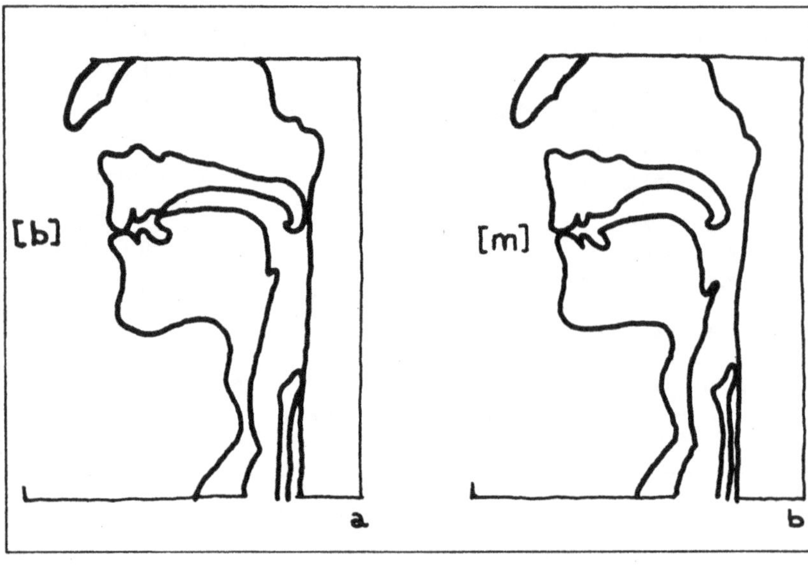

Fig. 5. Sons orais e nasais: a) consoante oclusiva bilabial e b) consoante nasal bilabial.

Em português e em francês ocorrem vogais nasalizadas, mas o valor distintivo da nasalidade vocálica nessas línguas é alvo de discussão. Em tapirapé ocorre um tepe nasalizado entre vogais nasalizadas, tepe esse que é uma variante posicional do tepe oral.

A nasalidade não se restringe a um único segmento no contínuo sonoro. O abaixamento do véu palatino e a abertura da passagem nasofaríngea, mecanismos próprios aos sons nasais e nasalizados, não se dão em perfeita sincronia com o levantamento do véu palatino e fechamento da passagem nasofaríngea dos sons orais adjacentes. Assim é comum que a nasalidade se estenda ao menos pela sílaba. Uma nasalização retroativa, isto é, que alcança vários segmentos à esquerda de uma vogal nasalizada acentuada é encontrada em línguas da família tupi-guarani.

O mecanismo da nasalização está também presente nas consoantes *pré-nasalizadas*. Na pré-nasalização há um início consonântico nasal e uma soltura oral no mesmo ponto de articulação da consoante nasal. Consoantes pré-nasalizadas são muito comuns em línguas da família tupi-guarani e em línguas africanas.

Tal como o processo fonatório, a nasalização é um mecanismo que envolve aberturas e fechamentos de uma passagem que conduz a outra cavidade. Na nasalização pode-se observar uma gradualidade de maior ou menor abertura e de maior ou menor tempo de duração da abertura nasofaríngea. Por isso é que em chinanteco (LADEFOGED, 1971, pp.34-5) há graus de nasalidade vocálica com valor distintivo: as vogais orais se opõem a vogais levemente nasalizadas e a vogais fortemente nasalizadas. E mais ainda a cada vogal nasalizada corresponde um grau de nasalidade que lhe é intrínseca, grau esse que varia de língua para língua.

Consoantes: Pontos e Modos de Articulação

A cavidade orofaríngea é a câmara de ressonância onde o fluxo de ar é modificado pela ação dos chamados articuladores. Os diferentes modos por que o fluxo de ar é modificado permite o estabelecimento de duas grandes classes de sons: a classe das *consoantes* e a das *vogais*.

Consoantes são vibrações aperiódicas ou ruídos ocasionados pela obstrução total ou parcial da corrente de ar devido à ação de dois articuladores, obstrução essa que se traduz numa redução da energia total do espectro acústico. Já as vogais são sons que resultam da passagem livre do ar produzindo vibrações periódicas complexas.

Por modo de articulação entendem-se os diferentes graus de fechamento da cavidade orofaríngea e as maneiras por que o ar nela modificado escoa pela boca. Pontos ou áreas de articulação são os diferentes lugares em que dois articuladores entram em contato.

Um *articulador* é qualquer parte, na área orofaríngea, que participa na modificação da qualidade do som, por acarretar, em conjunção com outra parte, o aumento ou diminuição dessa cavidade. Os articuladores podem ser ativos, aqueles dotados de movimento (lábios, língua, úvula etc.) ou passivos, sem movimento, mas que é o ponto de referência para onde se move o articulador ativo. Articuladores passivos são, dentre outros, a arcada dentária, os alvéolos, a abóbada palatina.

Costumava-se dividir a cavidade orofaríngea e a língua em diversas partes que servirão de ponto de referência para o estabelecimento das áreas de articulação. Assim, um som para cuja articulação funcionem os lábios é chamado labial; se a língua se dirige para o palato o som é palatal; se é a úvula que está em funcionamento o som é uvular etc.

Algumas possibilidades bastante comuns de áreas de articulação são apresentadas esquematicamente na figura 7. Assim um som *bilabial* é aquele articulado com os dois lábios ([p] de pata, [b] de bata, [m] de mata); um som *labiodental* com os dentes superiores e o lábio inferior ([f]) em faca, [v] em vaca); um *alveolar*, com a lâmina da língua e os alvéolos (o [s] em sapo); um som *velar*, com o dorso da língua e o palato mole ([g] de gato). Um som *retroflexo* é aquele em que a ponta da língua se curva em direção ao palato duro e um exemplo desse som é encontrado na pronúncia caipira do *r* numa palavra como 'carne'. As diferentes pronúncias do *r* no português em palavras como 'carro' e 'rua' ilustram sons *uvulares, faringais e glotais*.

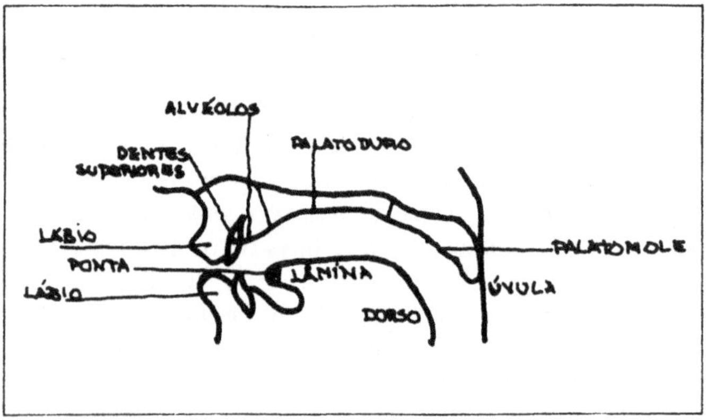

Fig. 6. Articuladores da cavidade orofaríngea.

Para a identificação e descrição dos sons consonantais usam-se não só os tipos de articulação mas também os modos de articulação. Se a obstrução é total, o som resultante denomina-se oclusivo; se o impedimento é parcial e provoca fricção, a consoante é *fricativa*. Consoante *africada* é aquela que começa como oclusiva e termina como fricativa. O primeiro segmento em 'bata', 'cata', 'gata' é oclusivo; em 'faca', 'vaca', 'zinco', 'cinco' é fricativo. Em 'tia' e 'dia', na pronúncia carioca, têm-se exemplos de sons africados.

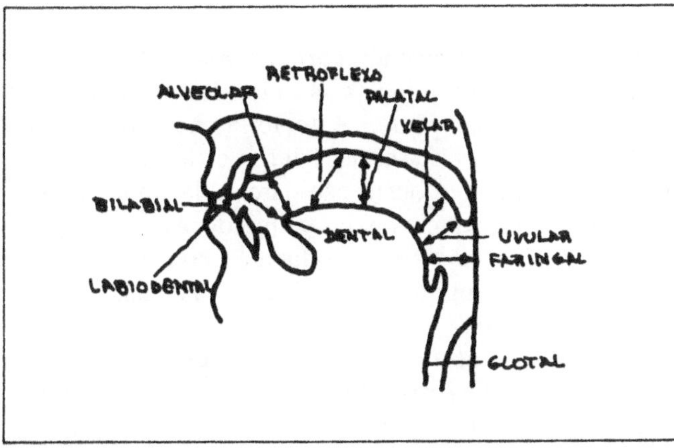

Fig. 7. Áreas de articulação.

O fluxo de ar poderá escapar pela parte central da cavidade bucal (como nas consoantes fricativas) ou por um de seus lados. Nesse último caso diz-se que o som é *lateral*. É o que se tem nas consoantes intervocálicas em 'fila' e 'filha', por exemplo.

Quando um articulador móvel (a ponta da língua ou a úvula) bate repetidas vezes num articulador fixo (alvéolos, dorso da língua), o som é denominado *vibrante*. No dialeto paulista (no carioca mais raramente), encontra-se esse tipo de articulação em palavras como 'carro', 'rua', 'rato' etc. *Flepes* e *tepes* são sons produzidos por apenas uma batida de um articulador no outro. No flepe a ponta da língua se encurva para trás e a curvatura se desfaz tocando a região alveolar. No tepe, a ponta ou lâmina da língua se levanta horizontalmente e bate na área alveolar. O *r* em palavras como 'caro' e 'prato' é pronunciado em português do Brasil geralmente como tepe. Tepes e flepes são também denominados *vibrantes simples*, por serem produzidos com apenas uma batida em um articulador, em oposição à *vibrante múltipla* que é produzida com várias batidas.

Aos modos de articulação vistos até agora podem ainda ser acrescidas articulações secundárias como a *labialização*, a *palatalização*, a *velarização* e a *faringalização*. Na labialização acrescenta-se o arredondamento dos lábios a uma articulação primária. O primeiro segmento em 'quando' é uma consoante oclusiva velar surda labializada. Na palatalização a articulação primária se faz acompanhar do levantamento da lâmina da língua. Em russo, esse procedimento é bastante comum, tendo as consoantes palatalizadas um valor distintivo. Na velarização levanta-se o dorso da língua e na faringalização há o recuo da raiz da língua.

Essa é a nomenclatura mais corrente nos trabalhos de fonética articulatória. Outras terminologias são também encontradas de modo mais assistemático. Assim *líquida* é um termo herdado dos gramáticos da antiguidade e abrange a classe das laterais e das vibrantes. *Contínuos* são sons produzidos com a obstrução parcial da cavidade orofaríngea e englobam as fricativas e vogais excluindo as oclusivas, nasais e africadas. *Constritivos* são sons produzidos com o estreitamento da cavidade orofaríngea sem que ocorra fricção. Vogais, laterais, vibrantes são sons constritivos.

Recapitulemos alguns dos processos de modificação do ar egresso dos pulmões até agora vistos. Uma corrente de ar tendo se iniciado nos pulmões (corrente de ar egressiva) ao atravessar a glote (processo fonatório) pode encontrar as cordas vocais juntas em toda a sua extensão fazendo-as vibrar (som sonoro). Ao continuar seu percurso devido ao levantamento do véu palatino, escapará exclusivamente pela boca (som oral). A cavidade oral pode estar totalmente obstruída (modo de articulação) pela articulação da lâmina da língua e alvéolos (ponto de articulação). A designação 'consoante oclusiva alveolar sonora' resume todos esses processos.

Vogais

As vogais são sons produzidos com o estreitamento da cavidade oral devido à aproximação do corpo da língua e do palato sem que haja fricção de ar. As vogais se opõem às consoantes por 1) serem acusticamente sons periódicos complexos; 2) constituírem núcleo de sílaba e sobre elas poder incidir acento de tom e/ou intensidade.

Na identificação e descrição das vogais usam-se, como parâmetros, o avanço ou recuo e altura do corpo da língua e a presença ou ausência de protrusão labial. Pela altura da língua as vogais são classificadas em *altas, médias* e *baixas*. E pela posição do corpo da língua em relação à abóbada palatina em *anteriores, centrais* e *posteriores*. A presença de protrusão labial produz vogais *arredondadas* e a sua ausência, vogais *não arredondadas*. Assim o *u* de 'rua' é uma vogal posterior, alta, arredondada e o *a* uma vogal central, baixa, não arredondada.

Costuma-se visualizar as áreas de articulação das vogais representando esquematicamente a cavidade oral como um trapézio, o lado esquerdo simbolizando a parte anterior do tubo bucal com maior amplitude (devido ao movimento das mandíbulas) do que a parte posterior, o que permite um maior número de variações de articulação nas vogais anteriores. Os vértices superiores indicam as vogais altas e os inferiores as vogais baixas. Nas áreas intermediárias, na dimensão horizontal, situam-se as vogais centrais e na dimensão vertical as vogais médias.

Com esse tipo de esquematização o que se intenta é tão somente ter pontos de referência para a apreensão de uma realidade altamente variável de língua para língua e mesmo de diferentes enunciações de uma vogal por um mesmo falante. A figura 8 mostra a relatividade que essa terminologia encobre, usando-se a comparação dos pontos de articulação das vogais do inglês e as do português na fala de uma das autoras. E a figura 9 mostra a variabilidade das áreas de articulação para as vogais do tikuna (SOARES, 1983).

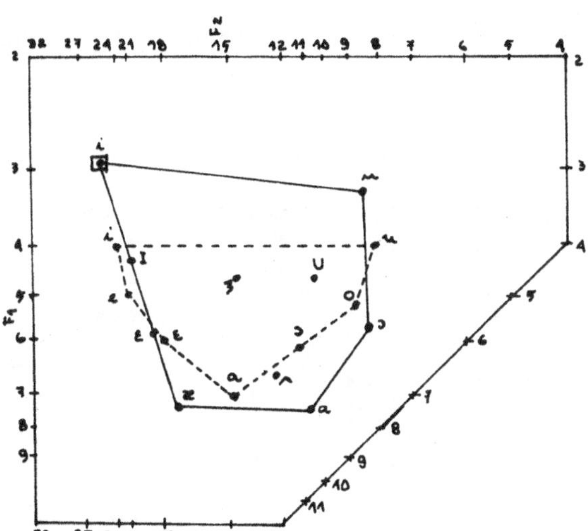

Fig. 8. Frequências médias em hertz das vogais do português de uma das autoras (linha pontilhada) em comparação com as frequências médias, segundo Peterson & Barney, das vogais do inglês.

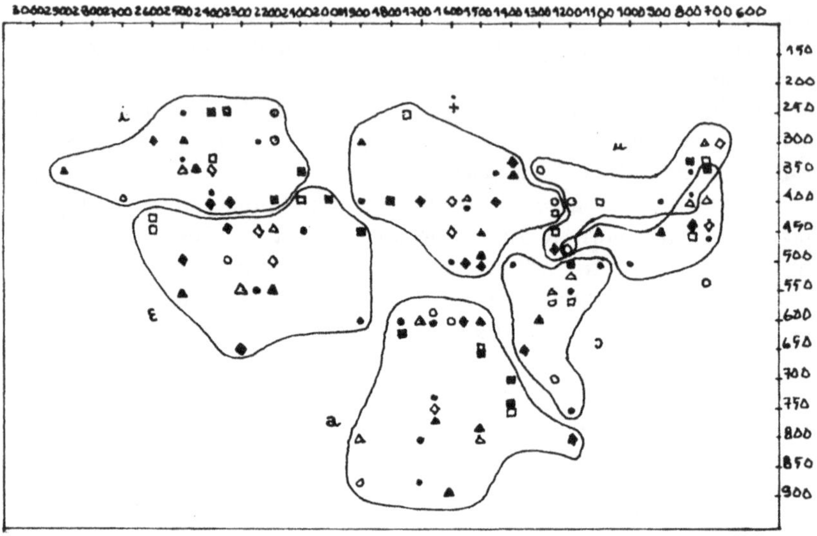

Fig. 9. Áreas de articulação das vogais do tikuna, de oito informantes representados por •○▲△■□◆◇(*Apud* Soares).

Para contornar esse problema JONES (1918) estabeleceu pontos ideais de articulação para as vogais, pontos esses que servem de referência para a localização das vogais reais ocorrentes nas línguas. Essas vogais ideais são chamadas vogais *cardeais*.

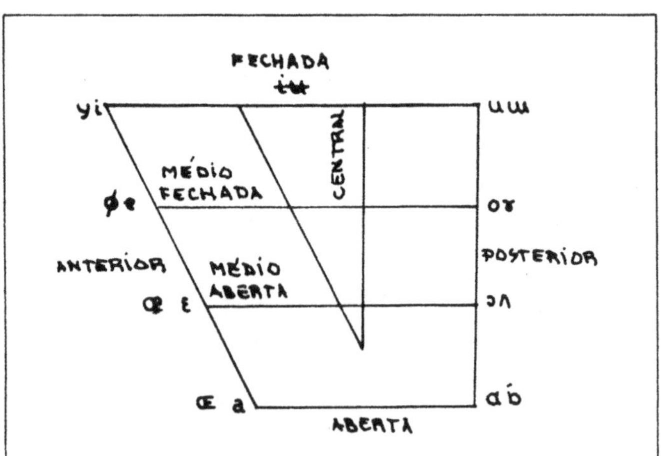

Fig. 10. As vogais cardeais.

Fonética articulatória só se aprende tomando consciência dos mecanismos de produção dos sons e, mais do que isso, tentando reproduzi-los e identificá-los, usando para tal os parâmetros de descrição que vimos. Vários exercícios são úteis para se aprender a pronunciar vogais variadas. Por exemplo: posicione a língua para a produção do *i* em português e vá recuando o corpo da língua em direção ao fundo da cavidade oral, mantendo sempre a mesma altura e os lábios sem arredondamento. O resultado final é uma vogal posterior alta não arredondada. Se fizermos o movimento inverso, isto é, partir de um *u* do português e avançarmos o corpo da língua em direção à parte anterior da cavidade oral, mantendo sempre a mesma altura e os lábios arredondados, ter-se-á como resultado final uma vogal anterior alta arredondada. Você poderá treinar a fazer sons vocálicos e identificá-los deste modo: indo do [i] para o [u] ou de [i] para o [e], pare em algum ponto do contínuo articulatório e pela posição e protrusão labial procure nomear o som produzido.

As diversas dimensões que aqui vimos podem ser contrastivas nas línguas. Assim, o arredondamento dos lábios é fonêmico nas vogais anteriores em francês e em alemão como se pode ver nos pares: pur 'puro': pire 'pior' (francês); já em algumas línguas indígenas brasileiras é na série das vogais posteriores que a presença ou ausência de protusão labial tem valor contrastivo, como se pode ver nos seguintes exemplos do txucarramãe: [tu] 'estômago'; [to] 'duro' [t ɔ] dançar; [pi] 'urucu', [mʌ] 'o que', [krp] 'amigo' (STOUT & THOMSON, 1974).

A Sílaba

Embora intuitivamente sentida pelos falantes nativos de cada língua, a sílaba é uma unidade de difícil definição.

Do ponto de vista articulatório, a *sílaba*, segundo alguns autores, corresponde a um acréscimo da pressão do ar expelido dos pulmões pela atividade de pulsação dos músculos respiratórios que faz com que a saída do fluxo de ar não seja contínua, mas em jatos sucessivos.

Do ponto de vista da percepção, considera-se a cadeia sonora como composta de aclives, ápices e declives de sonoridade, cada sílaba sendo constituída de um ápice, que é o seu núcleo ou centro ocupado por sons de alta sonoridade, como, por exemplo, as vogais. Os aclives e declives constituem 'vales' de sonoridade que determinam as *fronteiras silábicas*, suas margens, lugar preferencial das consoantes.

Escalas de sonoridade, a qual é traduzida em termos de maior ou menor abertura da cavidade orofaríngea, foram propostas por linguistas como Saussure, Grammont e Jespersen, a fim de determinar, quer pelo ângulo articulatório, quer pelo perceptivo, as divisões silábicas dos enunciados. Nessas escalas, o menor grau de sonoridade é atribuído às consoantes de maior fechamento (às oclusivas) e o maior à vogal baixa *a*.

Porém, qualquer uma das teorias esbarra com dificuldades, quando se trata de delimitar o fim de uma sílaba e o início de outra (as fronteiras silábicas) ao se examinar a fala que não seja lenta e artificialmente escondida.

A noção de sílaba é muito usada para estabelecer a distinção entre as duas grandes classes de sons. Assim é que se diz que vogais ocorrem como núcleos silábicos e consoantes como margens. E de acordo com cada língua, nas margens podem ocorrer nenhuma, uma ou mais consoantes. Assim, cada língua tem seus padrões silábicos próprios e permitidos. À ocorrência de mais de uma consoante no aclive ou declive silábico dá-se o nome de grupo *consonantal*. Uma sílaba é *aberta* quando não há consoante em seu declive (ex.: 'má') e *travada* quando a tem (ex.: 'mar').

A definição de vogal e de consoante, tendo como linha divisória a noção de sílaba, gera alguns conflitos entre a classificação que leva em conta apenas a produção dos sons (fonética) e a que estabelece suas funções em cada língua (fonêmica ou fonologia). Como já se viu, nasais, laterais, flepes e tepes são foneticamente produzidos com o estreitamento da cavidade orofaríngea sem a fricção da corrente de ar, mecanismo esse também comum às vogais. Esses sons têm, pois, algumas qualidades vocálicas, mas podem ocupar, e o fazem com frequência, a posição de margens silábicas. É o que ocorre em palavras como 'mal', 'Brasil' em algumas áreas do Rio Grande do Sul. É também bastante comum as vogais altas ocorrerem em aclives ou declives silábicos, constituindo o que se convencionou chamar *ditongos* e *tritongos*. Essas vogais são denominadas *assilábicas* ou *glides*.

Várias soluções foram propostas para evitar esse conflito terminológico e uma bastante aceita é a do linguista norte-americano Kenneth Pike que cunhou as designações *vocoide* e *contoide* restritas ao nível fonético ou ético, reservando os termos vogal e consoante para o nível fonêmico ou êmico. Assim as vogais assilábicas são foneticamente vocoides que, de acordo com sua distribuição nos padrões silábicos de cada língua, serão interpretadas fonemicamente como vogais ou como consoantes. Pelo mesmo raciocínio, os sons constritivos são foneticamente vocoides, mas quando ocorrem em margens silábicas são fonemicamente consoantes.

Dada a complexidade de uma conceituação unívoca de sílaba, as análises propostas para as diferentes línguas limitariam o seu uso ao levantamento dos padrões fonêmicos permitidos, reservando-lhes nas descrições uma seção especial denominada *fonotática*.

A sílaba é, porém, a unidade indispensável para os estudos de prosódia e de ritmo. Recentemente estão se intensificando os estudos nessa área, passando-se de uma fonologia em que os processos eram vistos como decorrentes principalmente da adjacência de segmentos para uma fonologia em que se privilegiam elementos como duração, intensidade e altura (elementos *suprassegmentais*) e a sílaba como unidades detonadoras de processos fonológicos. Leva-se em conta não só, como era mais usual, a fala lenta e pausada mas também os diversos ritmos e velocidades. Essas vertentes da fonologia recebem designações como fonologia natural, fonologia autossegmental, fonologia métrica em oposição à fonologia estruturalista e à gerativa.

Prosódia

Até a seção a respeito das vogais tratamos de elementos que compõem o enunciado e que podem ser descritos em termos de movimentos articulatórios que aumentam ou estreitam a cavidade orofaríngea. Uma característica desses elementos é sua disposição linear no contínuo da fala. No entanto, da fala participam outros elementos que se sobrepõem aos segmentos lineares, elementos esses cuja descrição não se faz em termos dos movimentos dos articuladores, mas, sim, em termos da ação dos músculos respiratórios que aumentam ou diminuem a energia do fluxo de ar, ocasionando durações, frequência fundamental e intensidade diferentes das vibrações sonoras. Duração, frequência fundamental e intensidade são termos acústicos para os correlatos perceptivos quantidade, altura e volume, aos quais se dá o nome de suprassegmentos.

Não é fácil isolar o mecanismo fisiológico envolvido na produção dos suprassegmentos. Por exemplo, a maior quantidade é devida a um esforço suplementar do ar pulmonar pela ação dos músculos respiratórios e a ajustamentos na laringe. Porém esses mesmos mecanismos também resultam em tom mais alto e maior volume (LADEFOGED, 1971, pp.22-3, 82). Assim, uma sílaba que é mais longa é geralmente também mais alta, quer em seu tom, quer em seu volume, fenômeno complexo a que se denomina *acento*.

Outra característica dos elementos suprassegmentais é sua relatividade: diz-se que um som é longo em relação a outro menos longo, que um tom alto na fala masculina é sempre mais baixo do que o da fala feminina por ser a tessitura da voz nos homens mais baixa do que a das mulheres. Além disso as diferentes vogais têm qualidades prosódicas que lhes são inerentes e que as caracterizam: as vogais de articulação mais alta são sempre menos longas do que as vogais baixas, as vogais silábicas mais longas do que as assilábicas, maior quantidade essa que também se verifica quando a vogal é seguida de uma consoante sonora.

Esse conjunto de fenômenos dos quais se derivam tipos de acento, padrões entoacionais, ritmos e velocidades de fala são estudados sob o rótulo de prosódia.

Para os falantes do português é bem conhecido o *acento de intensidade*, que tem um papel distintivo em palavras como 'sábia', 'sabia', 'sabiá'. As variações de tom têm uma função distintiva em português no nível da frase, distinguindo, por seus padrões entoacionais, as frases declarativas das frases interrogativas. A quantidade, em português, acompanha, em geral, o acento de intensidade com o qual coocorre uma sílaba longa. A quantidade pode, porém, ter uma função expressiva, tal como no alongamento da sílaba *ma* de 'maravilhoso', ou o reforço da quantidade em 'gol', dito por locutores de futebol no momento em que um tento é marcado.

Em outras línguas, como o latim e o italiano, é a quantidade que tem uma função distintiva no nível da palavra. Em latim vogais *longas* se opõem a vogais *breves* e em italiano, consoantes longas a consoantes breves. A unidade que se usa para medir a duração dos segmentos e sílabas é a mora. Na métrica latina uma sílaba longa equivalia a duas breves, isto é, a sílaba longa tem duas moras e a sílaba breve, uma só.

Já em chinês, em algumas línguas africanas (iorubá) e indígenas brasileiras (ñambiquara, tikuna, piranhã, munduruku) são as diferenças de altura que produzem significados diferentes no nível da palavra.

Línguas que funcionem usando essa distinção são chamadas línguas tonais.

As línguas de acento de altura se dividem em línguas de tom de contorno e línguas de tom de nível. O chinês é uma língua de tom de contorno, isto é, na sílaba o tom não é estável mas varia gradativamente num ascendente ou descendente. Já em línguas de tom de nível como o iorubá e o tikuna, o tom de cada sílaba se mantém fixo em seu nível alto, médio ou baixo. No quadro abaixo são dados alguns exemplos dos diferentes tons em tikuna (ANDERSON, 1959) e ñambiquara (dados de D. CALLOU).

	Tom de contorno		**Tom de nível**
	ñambi quara		**tikuna**
dūsù	'urucum'	ŋe?e	'mulher'
dùsú	'mulher'	ŋe?e	'guariba'
dū¢ú	'bambu'	na'e	'capim'
dū¢ù	'cutia'	ma'e	'vespa'

Recentemente, foneticistas e fonólogos têm voltado sua atenção para o estudo do ritmo na fala comum, estudo que esteve mais restrito, por tempos, à poesia. Segundo ABERCROMBIE (1967), as línguas se dividem em línguas de *ritmo silábico* e línguas de *ritmo acentual*. Nas línguas de ritmo silábico, todas as sílabas têm duração aproximadamente igual. Um exemplo de língua de ritmo silábico é o francês. E nas línguas de ritmo acentual a duração entre os intervalos das sílabas acentuadas é isocrônico, isto é, as sílabas inacentuadas diminuem sua duração de acordo com o número delas ocorrente entre duas sílabas acentuadas. Por exemplo, se entre duas sílabas acentuadas ocorrem três sílabas não acentuadas, a duração de cada sílaba não acentuada será proporcionalmente menor à duração de cada uma de duas sílabas não acentuadas ocorrentes entre duas sílabas acentuadas. O português e o inglês são línguas basicamente do tipo acentual.

Sílabas, moras, pés, pausas e grupos tonais são unidades que se usam para a descrição dos ritmos nas línguas.

Ritmo não se confunde com velocidade de fala e para esta a terminologia empregada é calcada nos andamentos musicais. Os trabalhos modernos de fonologia levam em consideração diferentes velocidades denominadas *largo, andante, allegretto*, e estão se tornando mais comuns trabalhos em que se relacionam os processos fonéticos, os padrões rítmicos e as diferentes velocidades de fala.

Na escola inglesa de R. Firth, o rótulo prosódia abrange fenômenos geralmente tratados como segmentais, por poderem afetar mais de um segmento. Tal é o caso da nasalização, labialização, velarização que podem acarretar processos de harmonização. É o que ocorre com a nasalidade vocálica nas línguas tupis que pode retroagir para as sílabas a ela anteriores. Assim a nasalidade vocálica pode ser interpretada como um traço prosódico, tal como o acento de intensidade, a duração ou o tom. Do mesmo modo em turco, o arredondamento dos lábios e a posteriorização podem ser analisados como fenômenos prosódicos, uma vez que ocorre nas palavras a harmonização, quanto a esses traços, das vogais dos sufixos com as vogais dos radicais.

c) O alfabeto fonético

No decorrer das seções precedentes lançou-se mão, em alguns exemplos, de uma grafia que utilizava colchetes com um símbolo em seu interior. Assim, ao se tratar da oclusão global, usou-se o símbolo [?]. A esse tipo de escrita, feita com símbolos de um alfabeto específico entre colchetes, se denomina transcrição fonética. Uma transcrição fonética é uma tentativa de se registrar de modo inequívoco o que se passa na fala. E um alfabeto fonético é uma convenção para se escreverem os sons das línguas independentemente da convenção que cada uma utiliza para sua escrita em cotidiano.

Um símbolo fonético sintetiza os diversos processos vistos nas seções anteriores de produção de um som. Assim [p] simboliza que o som é produzido com a corrente de ar egressiva, sem vibração das cordas vocais (surdo), com obstrução total na cavidade oral (oclusivo) e contato dos articuladores labiais (bilabial). O símbolo [p] traduz a descrição 'oclusiva bilabial surda'. Pelos mesmos princípios o símbolo [d] representa uma oclusiva implosiva alveolar.

A finalidade de uma transcrição fonética e do alfabeto fonético é possibilitar a transcrição e a leitura de qualquer som em qualquer língua por uma pessoa treinada. Assim, o que se requer de um alfabeto é que as convenções usadas sejam inequívocas e estejam explicitadas. Algumas dessas convenções já se tornaram bastante difundidas e são de conhecimento geral, tal como o alfabeto proposto pela Sociedade Internacional de Fonética denominado *alfabeto fonético internacional*. Como esse alfabeto emprega tipos não comuns em máquinas de escrever e em tipografias comuns, PIKE (1947) elaborou, para contornar essas dificuldades, um outro alfabeto, também bastante difundido, principalmente no Brasil. Enquanto no alfabeto fonético internacional os símbolos [β] [δ] [γ] representam as fricativas sonoras labial, alveolar e velar, respectivamente, no alfabeto de Pike esses sons são transcritos como [ƀ] [đ] [ǥ], que podem ser batidos numa máquina comum pela superposição do hífen aos tipos b, d, g. Observe-se que há princípios gerais convencionais: um hífen cortando um símbolo é empregado sistematicamente para indicar consoante fricativa.

Nos estudos sobre o português é bastante difundido o alfabeto de LACERDA & HAMMARSTRÖM (1952).

Uma comparação entre as várias propostas de alfabetos fonéticos mostra que há uma base comum advinda do alfabeto fonético internacional. E, na prática, qualquer que seja o alfabeto adotado ocorrem sempre adaptações determinadas por conveniências ocasionais tais como facilidades de datilografia, tipográficas, maior legibilidade etc.

2. FONOLOGIA

a) O fonema

A distinção feita tradicionalmente entre fonologia e fonética na linguística é a base do conceito original de fonema, desenvolvido por volta de 1920.

Através dos tempos, desde o aparecimento do termo, o fonema tem sido encarado sob diversas formas: de início, igualado a som da linguagem; depois conhecido sob um prisma essencialmente psíquico, como intenção de significado; mais tarde, sob um prisma físico, funcional e abstrato.

O termo fonema já era usado no século XIX, mas se referia a uma unidade de som, isto é, a uma unidade fonética (a que hoje se chamaria fone) e não a uma noção abstrata, que envolve oposição. Em fins daquele século, nos trabalhos de Baudouin de Courtenay, surge, ao lado da noção de som da fala, a noção de fonema, a partir de uma conceituação psicológica. Courtenay via o fonema como um som ideal que o falante almejava alcançar no exercício da fala, na qual realizava sons próximos a esse protótipo idealizado. Segundo ele o fonema era o equivalente psíquico do som da fala. A figura 9, que mostra a variabilidade de pronúncia para as vogais do tikuna, é um exemplo da variabilidade encontrada na fala, e dentro de uma concepção de Baudouin de Courtenay as realizações do falante em suas tentativas de reproduzir seus equivalentes psíquicos seriam os fonemas.

O conceito de fonema, porém, só foi formulado com maior precisão a partir de 1930 nos trabalhos do Círculo Linguístico de Praga. A noção tal como usada hoje em dia já estava implícita em Saussure em sua dicotomia *langue-parole* (língua-fala). O fonema é uma unidade da *língua* e sons ou fones são unidades da *fala*. Até aquela data é muitas vezes difícil saber quando os autores se referem ao fonema (na sua concepção atual) ou a um som da linguagem. O primeiro passo para sua conceituação foi dado por Saussure ao fazer a distinção entre o estudo sincrônico e o estudo diacrônico das línguas. Antes à fonética competia a descrição dos sons das línguas e à fonologia o estudo histórico da mudança.

A noção atual do termo *fonema* estava latente, portanto, na distinção *langue-parole* de Saussure e a ideia do contraste fonêmico estava presente nos trabalhos iniciais de E. Sapir. Saussure não chegou a formular sua conceituação, mas já tinha uma ideia bastante clara de que os fonemas são antes de tudo entidades opositivas, relativas e negativas. Essa concepção de entidades opositivas em Saussure aplica-se a todas as unidades linguísticas. Os fonemas se caracterizam não por uma qualidade particular positiva de cada um, mas simplesmente pelo fato de que não se confundem uns com os outros.

O primeiro tratamento de profundidade dado ao conceito de fonema encontra-se nos trabalhos dos linguistas do Círculo Linguístico de Praga. Para Trubetzkoy, o fonema passou a ter uma conceituação funcional abstrata, a unidade mínima distintiva do sistema de som, e é como uma unidade funcional que deve ser definido. O fonema é então a menor unidade fonológica da língua.

BLOOMFIELD (1933) definiu o fonema como uma unidade mínima de traço fônico distintivo, indivisível.

Foi o conceito de fonema como elemento mínimo do sistema da língua que permitiu à linguística moderna um enorme avanço metodológico, pois lhe forneceu uma unidade discreta, isto é, segmentável, de análise. As técnicas seguidas para o estabelecimento dos fonemas foram estendidas aos demais níveis de descrição gramatical.

Roman Jakobson veio a ter um papel decisivo dentro dos estudos fonológicos, contribuindo para reformular o conceito de unidade mínima, indivisível, do fonema como unidade não suscetível de dissociar-se em unidades inferiores ou mais simples — os traços fônicos.

Foi ele quem definiu o fonema como um 'feixe de traços distintivos', com base na ideia de que o fonema era divisível em unidades menores. A partir de então o fonema passou a ser visto pelos seguidores da escola de Praga como a soma das particularidades fonologicamente pertinentes que uma unidade fônica comporta. Nesse novo conceito de fonema, em termos mais abstratos e menos físicos, salientava-se o papel funcional que o elemento fônico desempenha na língua. Com essa conceituação estruturalista do fonema, atingia-se o plano abstrato e a superação do plano natural.

Especialmente preocupado em determinar o valor semiótico do fonema, viu Jakobson esse valor na função que tem de distinguir entre si os elementos lexicais — enquanto estes apresentam uma significação própria e constante, aquele não apresenta uma significação própria positiva. Citando Husserl, JAKOBSON (1967, p.30) chama a atenção para o fato de corresponder o fonema a um 'ato de atribuição de significado e jamais um ato de plenitude de significação'. O fonema é, assim, uma subunidade carente de significado.

A visão abstrata do fonema é defendida com maior vigor na escola conhecida como *glossemática*, criada pelo linguista dinamarquês Hjelmslev. Na glossemática, onde não se leva em consideração a substância fônica, a definição de fonema tem de ser diversa e mesmo a palavra fonema é substituída pela de *cenema*, mais neutra no que se refere à substância. Para Hjelmslev, cenemas são figuras do plano de expressão, 'unidades vazias', sem conteúdo correspondente. A *cenemática* designaria a ciência que trata dos cenemas como elementos de língua. Uma das vantagens da preferência pelo termo cenema para o linguista dinamarquês residiria no fato de aquele ser formado sobre a raiz grega de *kenós*, 'vazio', o que caracterizaria melhor o aspecto não substancial da unidade.

O fonema é um som que, dentro de um sistema fônico determinado, tem um valor diferenciador entre dois vocábulos. A realização fônica em si vai interessar à fonética, à fonologia interessa a oposição dos sons dentro do contexto de uma língua dada.

Nossa percepção da fala sofre influência do sistema fonológico. Um falante do português sabe produzir o som [p] e sabe que este som ocorre em palavras como 'pata', 'pingo' etc. Da mesma forma conhece o som [b] em palavras como 'bata', 'bingo' etc. Os segmentos fônicos [p] e [b] ocorrem, portanto, em português e a diferença entre eles constitui uma diferença fonológica, pois corresponde a uma diferença no significado das palavras pata: bata, pingo: bingo. Esses dois sons possuem características comuns e opõem-se apenas pelo fato de um ser sonoro [b] e o outro surdo [p]. Não é verdade, porém, que a mesma unidade fonológica se manifeste sempre como a mesma unidade fonética. A língua é, como sabemos, um sistema de identidades e diferenças: as unidades linguísticas conhecem-se por suas identidades e distinguem-se por suas diferenças. A gramática de uma língua informa quais as unidades fonológicas, distintivas, de uma língua, quais traços fonéticos são fonológicos e quais são não fonológicos ou predizíveis. À fonologia interessam apenas os traços distintivos enquanto à fonética interessam todos os traços.

Além da função *opositiva*, que diferencia palavras, assinala Trubetzkoy uma outra função, *delimitativa* ou *demarcativa*, que o fonema pode ter dentro da cadeia fônica. A debilidade máxima da sílaba átona final e a mínima da sílaba átona inicial concorrem para a delimitação de vocábulo, por exemplo em de leite: deleite; de vida: dívida; contra pôr: contrapor; de sabores: dissabores; só sobraram: soçobraram.

No último exemplo a delimitação se faz a partir da tonicidade do monossílabo e a atonicidade da sílaba inicial. Vale lembrar, a esta altura, que numa análise fonética elementar podemos distinguir sílabas acentuadas (*tônicas*) e inacentuadas (*átonas*). O acento tônico em português tem valor fonêmico — oposição significativa a partir da sua posição — e pode ser denominado fonema suprassegmental, e é expresso foneticamente não só pelo aumento da intensidade como também pela duração e por uma variação da altura melódica (som). A posição da sílaba tônica no vocábulo é variável (última, penúltima e antepenúltima) e é pela variabilidade de sua posição que o acento tônico tem valor fonêmico, isto é, distintivo. Em 'sabiá', 'sabia', 'sábia' o único traço a diferir os vocábulos é o acento tônico. Em relação às sílabas átonas é possível a depreensão de graus variáveis de atonicidade a partir de sua posição no sintagma: pretônica (inicial de vocábulo ou não), postônica (final ou não final). São estes graus (máximo, médio, mínimo) de atonicidade que concorrem para a delimitação do vocábulo dentro da cadeia fônica, como assinalamos há pouco.

Os traços prosódicos ou suprassegmentais, como a duração, o tom, a intensidade, têm também funções expressivas e, portanto, devem ser levados em conta numa descrição fonológica.

Um outro elemento prosódico que deve ser considerado é a pausa que, na escrita, é representada pelos sinais de pontuação. A pausa pode ter uma função distintiva ou apenas expressiva.

b) Os traços distintivos

Em fonologia traços distintivos, também chamados funcionais, pertinentes ou relevantes, referem-se a unidades mínimas, contrastivas, e são aqueles que para alguns linguistas, especialmente os seguidores da escola de Praga, irão distinguir entre si os elementos lexicais. O caráter infinito das possibilidades humanas de articulação e o fato admitido de que um mesmo indivíduo não realiza nunca, duas vezes seguidas, o mesmo som de maneira idêntica, não impedem que se identifique sempre determinado som de uma língua, cada vez que é ouvido, como sendo o mesmo som e não outro. Para aqueles linguistas, o que torna essa identificação possível é o chamado traço distintivo, que pode ser definido, por seus componentes articulatórios e/ou acústicos.

A. Martinet define o traço distintivo ou pertinente como aquele traço fônico que, sozinho, permite distinguir um signo, uma palavra ou um enunciado de outro signo, palavra ou enunciado.

O fonema pode ser realizado por vários traços de sons. A presença ou ausência de certos traços opõe, por sua vez, o fonema a todos os demais fonemas da língua. São esses traços que constituem as unidades mínimas e indivisíveis, e Jakobson vem a estabelecer mais tarde não o quadro de fonemas, mas o de traços fônicos que funcionam numa língua e caracterizam os fonemas. Resta depreenderem-se os traços distintivos da fonêmica de uma língua dentre todos os que a fonética nos faz conhecer. Sabe-se que nem todas as particularidades fônicas do fonema são relevantes (ou pertinentes), isto é, desempenham função linguística dentro do sistema — cada fonema se caracteriza por algumas de suas particularidades fônicas em oposição a outro.

Muitos sons diferentes podem ter a mesma função de distinguir palavras. O linguista irá considerá-los variantes não distintivas de uma única unidade estrutural, o fonema. Os fonemas, por sua vez, podem ser organizados em sistemas maiores, tais como um sistema de vocálicos e um sistema de fonemas consonânticos.

São os traços articulatórios ou acústicos pertinentes — aqueles que servem para caracterizar um fonema em face de outro que tem com ele traços comuns — que importam ao linguista. É a partir desses traços que se organizam os sistemas fonológicos das línguas. Nem todos os sistemas são iguais, eles apresentam divergências de língua para língua, seja pelo número diferente de fonemas, seja pela distribuição desses fonemas no sistema (cf. II, 2).

Uma diferença mínima entre duas unidades da língua constitui um traço distintivo. Mediante um ou outro traço distintivo, uma unidade linguística opõe-se a outros elementos. Tomando por base o sistema fonológico da língua portuguesa, a consoante [b] funciona como sonora — e não surda — em relação ao [p], como não nasal em relação ao [m], como não contínua em relação ao [v]. A articulação labial é comum aos três segmentos fônicos, a sonoridade e a articulação labial a [b] e [m] e a não nasalidade a [b] e [p]. A oralidade, a labialidade e a sonoridade são comuns a [b] e [v]. Certos elementos constantes numa unidade não implicam uma oposição: diante de [i], as consoantes [t] e [d] apresentam frequentemente palatalização sem que nenhum par de palavras da língua portuguesa se oponha porque essa palatalização existe ou não: o significado da palavra será sempre o mesmo, independente da forma como é pronunciado.

Aos elementos que, ao menos em certos contextos, são constantes embora não constituam uma oposição, chamamos de redundantes: não são funcionais e têm apenas uma função auxiliar. Duas unidades são opostas entre si quando possuem um traço ou traços comuns e outro diferente. O traço de sonoridade que distingue as consoantes [b] e (p] distingue também [t] e [d], [f] e [v] etc. O elemento, marcado, tem valor positivo ao passo que o outro será negativo: ([b] é [+ sonora] e [p] é [– sonora], o que equivale a dizer que o primeiro é sonoro e o segundo surdo, sem vibração das cordas vocais.

Os traços têm de abranger todos os contrastes necessários dentro de uma língua, já que devem diferençar fonemas. Com referência a traços que indicam características opostas podemos empregar um sistema binário. O esquema classificatório tradicional, em que há três alturas para as vogais (alta, média, baixa) ou vários pontos de articulação para a consoante (bilabial, labiodental, linguodental) é uma classificação não binária. Num sistema binário, ao invés de dois rótulos separados como, por exemplo, *surdo* e *sonoro*, podemos estabelecer apenas um traço distintivo *sonoro*, antepondo um sinal positivo (+) ou negativo (–) para mostrar se o atributo se faz presente ou não.

Os traços distintivos são binários apenas no nível fonêmico classificatório ou sistemático, não necessariamente no nível fonético. Neste, diferentes graus de sonoridade, nasalidade, aspiração etc. podem ser expressos por meio de dígitos.

Qualquer sistema linguístico pode ser descrito em termos dos valores (+) ou (–). Dois segmentos são distintos se os valores (+) ou (–) se contrapõem apenas por um dos traços, já que certas características físicas são decisivas para a identificação de unidades e outras não o são.

Os traços têm sua base na fonética. Podem ser articulatórios (± alto, ± soante etc.), perceptual (± silábico, ± acento), acústico (± compacto). Estabelecer um conjunto de traços suficientes e necessários para dar conta dos contrastes e processos é uma das tarefas da fonologia (cf. II. 3).

Os mais difundidos nos trabalhos sobre o português são os de JAKOBSON, FANT & HALLE (1961) e os de CHOMSKY & HALLE (1968). Estes dois sistemas diferem em seus objetivos e em seus pontos de partida. O de Jakobson, Fant & Halle parte da caracterização acústica dos sons e visa a fornecer um número mínimo de traços capazes de distinguir todos os contrastes existentes nas línguas. Já o de Chomsky

& Halle tem uma base articulatória e foi construído não apenas para dar conta de todas as oposições mas também formular as regras fonológicas de forma a mostrar a naturalidade dos processos gerais comuns aos diferentes níveis. MARTINET (1968) critica o sistema de traços distintivos de Jakobson-Fant-Halle por considerá-lo apriorístico, um sistema preestabelecido para o qual seus autores postularam uma validez geral. Admite aquele linguista a necessidade de definir as oposições em termos da substância sonora, mas não aceita a validade geral do princípio de eleição binária.

A gramática gerativa contestou o arcabouço organizacional da gramática estruturalista. Para os estruturalistas, a gramática de uma língua se constituiria em diversos níveis de descrição. O nível fonológico seria distinto do morfofonêmico e morfológico. Segundo os gerativistas esta concepção de gramática — na qual o fonema representa um papel capital — só servia para atomizar a descrição do processo. A gramática gerativa passou a operar com os traços, abandonando o fonema como unidade necessária.

Não se chegou a um acordo satisfatório sobre as propriedades formais da teoria fonológica, se a análise em termos de traços distintivos é por demais complexa, ou se pressupõem sempre os fonemas como unidades. Ainda parece útil para alguns admitir um conjunto de abstrações subjacentes — fonemas, ou algo semelhante — que podem manifestar-se de diversas formas sob certas condições. HALLE (1964) dizia textualmente que o *status* do fonema da linguística é análogo ao dos eléctrons na física, e, assim como não se considera serem estes ficções, não há motivo para se aplicar o termo aos fonemas. Eles são tão reais quanto qualquer outra unidade teórica na ciência.

Nos estudos fonológicos, nesses últimos anos, novas teorias foram surgindo. À fonologia estrutural e à fonologia gerativa seguem-se a fonologia natural, a fonologia gerativa natural, a fonologia autossegmental etc., sempre visando a solucionar e/ou simplificar problemas de descrição levantados por cada uma dessas ao longo do tempo.

O trabalho atual em fonologia está demonstrando que a riqueza dos sistemas fonológicos não consiste nos arranjos estruturais de fonemas, mas antes nos intrincados sistemas de regras pelas quais esses arranjos são formados, modificados e elaborados.

c) Fonemas e variantes. O arquifonema

Mantenha-se ou não o conceito de fonema na linguística futura, terá sido ele extremamente valioso para outros aspectos da estrutura linguística.

Há, como sabemos, várias definições de fonema. O que importa é que todas elas o veem como uma entidade abstrata que se manifesta através de segmentos fônicos.

Se eliminarmos os detalhes fonéticos, que não têm papel distintivo na língua, poderemos representar os segmentos fônicos através de uma escrita fonêmica. O fonema individualiza-se e ganha realidade pelo seu contraste com outros feixes em idênticos (ou análogos) ambientes fonéticos. A operação de *comutação*, usada para depreender os fonemas de uma língua determinada, consiste em substituir num vocábulo uma parte fônica por outra de maneira a obter um outro vocábulo da língua: pala: bala: mala: sala: fala: vala etc.

Cada língua tem os seus próprios fonemas, que são elementos fônicos dotados de função representativa no sistema. Vimos que nem todas as particularidades fônicas do fonema são relevantes ou pertinentes, isto é, têm função distintiva. Cada fonema se caracteriza por algumas de suas particularidades fônicas em oposição a outro. Se examinarmos os vocábulos pala, bala, tua, sua, cinco, zinco, podemos concluir que segmentos que se diferenciam por apenas um traço podem representar dois fonemas distintos.

Temos na língua portuguesa 26 fonemas segmentais (19 consoantes e 7 vogais). Possuímos, ainda, um fonema suprassegmental, o acento, que não é um segmento e sim uma qualidade que se superpõe a certos segmentos. Formas como pique:piqui, beijo:beiju, dívida:divida opõem-se entre si apenas pela posição do acento tônico.

O fonema pode variar na sua realização. Aos vários sons que realizam o mesmo fonema damos o nome de variantes, elementos que a descrição fonológica de uma língua não deve deixar de lado. Uma variante apresenta-se como manifestação substancial de uma unidade abstrata ou como variante do padrão que representaria essa unidade. A fonemização implica a redução de um número ilimitado de variantes a um número limitado de invariantes.

Diz-se tradicionalmente que as variantes ou alofones podem ser de vários tipos: posicionais, regionais, estilísticas, livres ou facultativas. As variantes *posicionais* ou *combinatórias* são as que mais interessam aos foneticistas, pois decorrem do próprio contexto fônico em que ele é realizado. Por exemplo, os fonemas /t/ e /d/ apresentam em certos dialetos do português uma realização palatal diante de /i/ (tira, ditado, limite) e uma realização alveolar ou dental diante das outras vogais (tua, tela, docas, dado).

O tipo de variação que os linguistas chamavam, tradicionalmente, *variação livre*, era explicado como decorrente de características individuais do falante, independente de qualquer fator condicionante. LABOV (1969) veio a demonstrar que a variação aparentemente livre é sempre determinada por fatores extra e intralinguísticos de forma predizível e existe até no nível do idioleto. O pesquisador não terá condições de predizer em que ocasião um indivíduo falará desta ou daquela maneira, dirá (ká̄ru] ou [káhu] (carro), por exemplo, mas poderá mostrar que, dependendo da classe social a que pertença, do sexo, da idade etc., ele usará uma outra variante, aproximadamente *x* por cento em média numa dada situação. A variação linguística, em geral, é condicionada de forma consistente dentro de cada grupo social, dentro de cada região e seria parte integrante da competência linguística. A formulação de Labov pressupõe, portanto, ser a variação inerente ao sistema da língua.

Dentro do estruturalismo europeu, temos de lembrar ainda o conceito de neutralização, que não deve ser confundido com o de variação. Existe neutralização quando há uma supressão das oposições entre dois ou mais fonemas em determinados contextos, isto é, quando uma oposição é anulada ou neutralizada. No sistema fonológico do português, em posição pretônica, há uma neutralização entre [e] e [ɛ] e [o] e [ɔ], cuja oposição é funcional em posição tônica. Em posição átona os dois fonemas correlativos tornam-se intercambiáveis sem que isso altere o significado da forma. O conceito de *neutralização* e o de *arquifonema* (realização não marcada resultante da neutralização) aparece com Trubetzkoy e seus companheiros do Círculo Linguístico de Praga. Em casos de neutralização a realização acústica já não corresponde a um dos fonemas intercambiáveis, mas a um *arquifonema* que compreende ambos. Lembrando a distinção do linguista Eugenio Coseriu entre *sistema — norma — fala*, vale observar que a realização é indiferente do ponto de vista do *sistema funcional* mas poucas vezes será indiferente do ponto de vista da *norma*. No Rio de Janeiro e no Sul do país, em geral, esse arquifonema será realizado com timbre mais fechado, [e] ou [o], enquanto no Nordeste o timbre mais aberto ocorre com maior frequência, [ɛ] e [ɔ] As normas variam, portanto, de região para região.

Algumas correntes não aceitam a noção de neutralização e preferem tratar o fenômeno dentro da morfofonologia ou morfofonêmica.

d) Processos fonológicos

A língua é dinâmica por sua própria natureza e está sujeita a modificações. Em qualquer momento, quando se combinam elementos para formar palavras ou frases ocorre uma série de modificações, determinadas por fatores fonéticos, morfológicos e sintáticos. Fatores prosódicos como o acento da palavra ou da frase, a entoação ou a velocidade da elocução são aspectos que também devem ser levados em consideração. Por exemplo, uma vogal em sílaba não acentuada não se comporta da mesma forma que a sua correspondente tônica. As posições átonas, por serem mais débeis, favorecem o processo fonológico da neutralização, já referido em item anterior.

Temos de levar em consideração tanto os processos fônicos que ocorrem nas palavras isoladamente quanto as modificações que sofrem as palavras por influência de outras com que estão em contato na frase.

As modificações sofridas pelos segmentos no eixo sintagmático podem alterar ou acrescentar traços, eliminar ou inserir segmentos. Algumas dessas alterações ocorrem sistematicamente e atuam sobre o nível fonológico da língua, outras afetam apenas o nível fonético, ocorrendo assistematicamente. Podemos observar o funcionamento desses processos fonológicos (e/ou fonéticos) do português no momento sincrônico, assim como é possível encontrar exemplos na evolução do latim para o português. Os processos que produziram mudanças históricas são os mesmos que estamos testemunhando a cada momento hoje. O comportamento fonológico não é amorfo, mas, ao contrário, o aspecto mais estruturado da língua.

Podemos agrupar esses processos fonológicos em:

1) processos que acrescentam traços ou mudam a especificação dos traços (o processo de *assimilação* é um dos mais conhecidos e é também responsável por um grande número de alterações fônicas). Podemos citar os processos de nasalização e palatalização que fazem com que, por exemplo, uma vogal se torne nasalizada diante de consoante nasal (cama, tônica) ou uma consoante se realize como palatal quando diante de vogal anterior palatal (tira, diabo) etc. Os processos conhecidos como *harmonização vocálica* e *metafonia* também se incluem neste item. No primeiro caso, ocorre uma ação assimilatória da vogal tônica sobre a pretônica (m[i]nino, f[i]liz, f[u]rmiga, c[u]stume); no segundo, ação assimilatória da átona sobre a tônica. A metafonia é o processo diacrônico que irá explicar a passagem de metu a m[e]du; sincronicamente, plurais como form[o]sos, comp[o]stos que a norma culta rejeita explicam-se também por extensão da regra de metafonia;
2) processos que inserem segmentos (por exemplo, a *ditongação*, a *epêntese* etc., que irão explicar o aparecimento de uma

semivogal em rapa[y]z e de uma vogal em ab[i]soluto, ad[i]vogado, t(a]ramela, respectivamente);

3) processos que apagam segmentos (pronúncias como o[kl]os, xi[kr]a, 'peraí' por 'espera aí', tradicionalmente denominados *síncope, aférese, apócope*, a depender da posição em que se encontre a vogal).

Esses três grupos de processos abarcam numerosos exemplos de mudanças e atuam sobre a estrutura da sílaba. Podem ocorrer alterações na distribuição de vogais e consoantes, mudança de classe principal, enfraquecimento ou reforço, sempre segundo a posição do segmento no vocábulo ou no sintagma. No registro informal e na linguagem popular podemos encontrar a cada passo exemplos que demonstram essa dinâmica da língua.

Tratamos aqui apenas de alguns processos, mas queremos deixar assinalado que a maioria deles pode ser explicada por fenômenos articulatórios e perceptuais.

e) Relação grafema-som-fonema

Para reproduzirmos na escrita as sequências fônicas da nossa língua, usamos sinais gráficos representativos desses sons: são os chamados *grafemas* ou *letras*. Não há uma correspondência exata entre o número de grafemas e o de fonemas na língua. Dois grafemas (*dígrafos*) podem representar um fonema, como é o caso de *rr*, *ss*, *ch* etc. Existe um sistema ortográfico que rege essa representação na língua escrita. A ortografia vigente hoje no Brasil é a oficialmente adotada nas normas do Vocabulário Ortográfico de 2008 com as alterações determinadas pelo Decreto nº 6.583 de 29 de setembro de 2008.

Discute-se muito atualmente a possibilidade de uma reforma ortográfica que leve em conta não apenas as relações entre a pronúncia e a ortografia portuguesas (do Brasil e de Portugal) mas também procure aproximar o sistema de fonemas do sistema de grafemas. Não podemos esquecer, no entanto, que quanto mais uma língua se desenvolve, mais o sistema ortográfico se afasta do sistema fonológico, como ocorre no inglês e no francês.

Um sistema integrado grafema-fonema parece ser inviável. Num país como o Brasil (oito e meio milhões de quilômetros quadrados e cerca de cento e cinquenta milhões de habitantes) qualquer tentativa de aproximação seria precária e deixaria a desejar, já que teríamos de levar em conta todas as diferenças regionais, socioculturais e até mesmo — se chegarmos às últimas consequências — individuais. Que pronúncia, que variante tomar como base, como modelo? A dos grandes centros urbanos (que não são tantos e são tão diferenciados), a da classe social mais privilegiada, que representa uma minoria, em nosso país?

O problema da relação grafema-som-fonema coloca-se de imediato no momento da alfabetização (ler e escrever) (cf. V. 2). A esta altura, não podemos esquecer que a) quando falamos não realizamos fonemas (entidade abstrata), realizamos fones (elemento concreto) e b) quando escrevemos devemos representar esses sons através de grafemas ou letras. Não nos parece impossível procurar mostrar àqueles que se alfabetizam que um determinado som da nossa língua pode ser representado por diferentes grafemas e, por outro lado, que um único grafema pode corresponder a diversas realizações fônicas. As razões para o alto índice de analfabetismo em nosso país são muito mais político-sociais que linguísticas.

Sistemas de transcrição fonética e fonêmica existem vários e já nos dão a indicação da dificuldade de uma única forma de representação gráfica. Um exemplo clássico dessa simplificação ortográfica por muitos proposta é a da letra *s* para representar o som [z] (casa, mesa) e de *ss*, *c*, *ç* e *x* (posso, cedo, laço, próximo) para representarem o som [s]. Por que não representar o som [s] sempre por *s* e o som [z] pela letra *z*, indagam alguns. Poderíamos lembrar: 1) o problema das palavras homófonas como coser, cozer; expiar, espiar; cessão, sessão, seção etc.; 2) um exemplo como o das palavras *aterrisar* e *subsídios*, para as quais existem normalmente duas pronúncias — aterri[s]ar e aterri[z]ar, sub[s]ídios e sub[z]ídios. Para resolver o caso dessa variação transcreveríamos, opcionalmente, das duas maneiras, (*s* ou *ss*) como já o fazem alguns lexicógrafos brasileiros para o primeiro exemplo? Para a alternância do tipo R[e]cife, R[i]cife, R[ɛ]cife, teríamos uma dupla possibilidade, também?

O estudo das relações entre grafemas e sons tem sido objeto de reflexão por parte de linguistas, nacionais ou não, sempre atentos ao aspecto da variação dialetal. Deixando de lado o problema de uma reforma ortográfica radical, poderíamos tentar estabelecer quadros de correspondências dos dois sistemas.

No primeiro estágio do processo de alfabetização, a criança (ou adulto) vai aprender que as letras servem de símbolo para os segmentos fônicos da língua. A dificuldade inicial é que a hipótese de biunivocidade letra-fone é limitada e varia de dialeto para dialeto. Um exame de erros de ortografia na escola deveria constituir um método valioso de investigação para o linguista, pois esses erros refletem geralmente uma falta de correspondência entre o sistema de fonemas e o sistema de grafemas (cf. V. 2).

Os estudiosos que preconizam uma reforma ortográfica pautada na pronúncia parecem partir do pressuposto de que só existe uma — apenas uma — pronúncia aceitável para cada palavra da língua. As pesquisas empreendidas nos últimos anos mostram que não há uma unidade de pronúncia no Brasil e que o nível fonético é aquele que reflete mais imediatamente as diferenças regionais e sociais. Não se pode tomar como modelo, como norma, a pronúncia de uma pessoa, de uma única classe social e até de uma única região. Tomar como base o sistema fonológico — que talvez seja um só — seria também complexo, pois aquele deveria reproduzir o que o falante tem internalizado.

Mudanças fonéticas e fonológicas estão sempre em curso e um sistema ortográfico não poderá nunca acompanhá-las. A ortografia não acompanhou, por exemplo, as mudanças do [l] velarizado de final de sílaba em [w] nem tampouco a monotongação do ditongo [ow] em [o] ocorridas em grande parte do Brasil.

Para as dificuldades ortográficas que os estudantes (até mesmo universitários) muitas vezes apresentam não haveria também razões de caráter educacional, da própria política de ensino no país? A reforma que acabou com a obrigatoriedade do ensino do latim no primeiro e segundo graus em nossas escolas certamente trouxe prejuízos numa aprendizagem mais globalizante, já que se passou a conhecer menos a história de nossa língua e consequentemente a não reconhecer, por exemplo, a grafia de uma palavra por motivos etimológicos. Também o enfoque puramente sincrônico dado ao ensino contribui negativamente para um conhecimento mais aprofundado da língua portuguesa.

Acreditar que se possa chegar a um sistema de escrita homogêneo e que reproduza de forma biunívoca a fala, como solução para o problema dos erros ortográficos, é ignorar a enorme variabilidade do comportamento linguístico e sociocultural.

II

A evolução dos estudos de fonética e fonologia

1. Da fonética articulatória aos estudos experimentais

É a partir do século XIX que a fonética, entendida como ciência dos sons e sua classificação, começa a se constituir como um domínio definido nos estudos das línguas, separando-se do estudo da pronúncia correta dos símbolos gráficos.

Durante a hegemonia do pensamento grego, e, posteriormente, do mundo latino, o estudo fonético se limitava ao estabelecimento do valor das letras do alfabeto da língua escrita e os sons das línguas estrangeiras eram aproximados e reduzidos ao valor das letras do alfabeto grego e do latino.

Mesmo assim, deve-se a Platão um primeiro embrião de classificação dos sons, ao colocar em grupos distintos as vogais e as consoantes do grego e, dentre estas, separar as oclusivas das contínuas. E foram os estoicos os primeiros a reconhecer que o estudo dos sons deveria ser diferenciado do estudo da escrita, ao atribuírem para cada letra um valor fonético (a pronúncia), uma forma escrita (α,ß) e um nome (alfa, beta etc.).

Porém, tal como nas descrições dos romanos, suas classificações eram calcadas em termos acústicos e, por não contarem com a aparelhagem indispensável para esse tipo de estudo, a terminologia era inapropriada e impressionística. Os árabes e os hindus tiveram mais sucesso nesse empreendimento ao tomarem como base uma descrição articulatória.

Uma das primeiras descrições fonéticas independente da escrita se deve a um gramático islandês anônimo, que, no século XII, preocupado com a reforma ortográfica, fez meticulosas observações sobre a pronúncia de sua língua. Mostrou ele a potencialidade de 36 segmentos vocálicos diferenciados e conseguiu elaborar um sistema de transcrição com o uso de novos símbolos e letras já conhecidas, aos quais foram acrescidos diacríticos. Assim, além de antecipar um alfabeto fonético, adiantou alguns princípios fonêmicos, que só viriam a ser elaborados plenamente no século XX, ao estipular que só deveria ser transcrito o que constituísse uma pronúncia contrastiva. Infelizmente, seu trabalho só foi publicado no século XIX e seu conhecimento se restringiu à Escandinávia, ficando sua contribuição à margem do desenvolvimento ocorrido durante aquele século na Europa.

No mundo islâmico, o persa Sibawaih de Basra merece uma menção especial. Ele e outros gramáticos árabes correlacionaram de modo sistemático os órgãos da fala e os mecanismos de produção de sons, interpretando as diferenças como causadas por obstruções diversas no aparelho fonador. Falharam, porém, na identificação do mecanismo que produz a oposição surdo/sonoro, feito que se deve aos gramáticos hindus. O interesse pela fonética demonstrado pelos gramáticos árabes provinha do desejo de reconstituir a pronúncia original dos textos sagrados do Corão. Entre os hindus o alvo era também fixar uma norma para os textos sagrados escritos em sânscrito védico, língua dos hinos antigos. Para tal era necessário reconstituir a pronúncia antiga, reconstituição primordial, pois as cerimônias religiosas só seriam bem-sucedidas com a reprodução exata da pronúncia e da gramática original. A preocupação em reconstituir uma pronúncia e uma gramática parte da constatação de uma mudança histórica. E o grande prestígio que o pensamento hindu alcançou no século XIX se deve não só aos méritos de suas observações fonéticas e gramaticais, mas também ao espírito eminentemente diacrônico que prevaleceu no século XIX. Por algum tempo, como se viu em I.1, durante aquele século o termo fonética tinha um sentido de estudo das mudanças dos sons através dos tempos. Essa era também a concepção de Saussure, o primeiro a diferenciar diacronia de sincronia.

A descrição feita pelos antigos gramáticos hindus da posição da glote para a produção dos sons surdos e sonoros só terá paralelo no século XVII, com os trabalhos de HOLDER (1669). Foram eles também os primeiros a descrever os mecanismos de aspiração e nasalização.

Para os hindus, a fonética constituía o elo entre a gramática e o enunciado e, em seus estudos, deram prioridade à sentença, chegando a negar a existência da palavra fonética fora do texto. Assim, deram especial atenção aos fenômenos de concatenação e juntura dos elementos morfológicos e aos aspectos prosódicos. O uso atual muito difundido do termo sândi (de sandhi, 'juntar') para as mutações morfofonêmicas que ocorrem na combinação de morfemas (sândi interno) e nos limites vocabulares (sândi externo) atestam o reconhecimento dos linguistas pelo trabalho que os gramáticos hindus desenvolveram na identificação dos mecanismos morfofonológicos.

Embora não tivessem expresso nas suas descrições do védico, ou em suas discussões teóricas, o conceito de fonema, a análise dos trabalhos que nos foram legados permite ver que operavam intuitivamente com alguns princípios fonêmicos, pelo fato de não atribuírem a unidades distintas diferenças fonéticas contextualmente determináveis. A acuidade das descrições fonéticas feitas pelos gramáticos hindus permite que hoje se conheça a pronúncia do sânscrito mais do que a de qualquer outra língua morta. A descoberta desses trabalhos, principalmente os do gramático Pãnini, teve um enorme impacto na linguística do século XIX.

O século XIX se caracteriza por uma preocupação com os estudos de natureza histórico-comparativa com o fim de classificar as línguas indo-europeias. Antes, os estudos de natureza histórico-classificatórios eram esporádicos. Um pioneiro nesse campo foi Dante Alighieri que, no século XIII, reconheceu três famílias linguísticas europeias: a germânica, a latina e a grega.

O método histórico-comparativo clássico baseava-se no estabelecimento de correspondências sistemáticas entre os sons dos vocábulos das línguas que eram submetidas à classificação, o alvo sendo o chegar a uma origem comum, sendo as línguas atuais o resultado de mudanças que podiam ser expressas em leis fonéticas. Nomes como Ramon Rask, Jacob Grimm, Franz Bopp, Wilhelm Humboldt, Hermann Paul, Karl Verner, Karl Brugmann, Hermann Osthoff, Jules Gilliéron pertencem a essa época, cada um deles com uma perspectiva própria, e, muitas vezes, controversa da explicação da mudança histórica. Nessa tentativa de depreensão de leis fonéticas, grande atenção foi dada à identificação dos mecanismos de produção dos sons e às técnicas apropriadas para a transcrição da fala (cf. III, 4).

O alfabeto fonético internacional (1889), que se segue ao alfabeto padrão de C. R. Lepsius (1859) e ao rômico lato de Henri Sweet (1877), simboliza claramente o coroamento de um esforço de se distinguir letra de som e de representar por símbolos distintos sons diferentes. (Para uma história do alfabeto fonético internacional consulte-se ALBRIGHT (1958).)

Pode-se dizer que a Inglaterra é o berço da fonética moderna, pois foi lá que a fonética, com suas aplicações na taquigrafia, ensino de línguas e reforma ortográfica, recebeu considerável atenção desde a Renascença. Um nome que não pode deixar de ser mencionado é o de Sir William Jones, com seus estudos de transcrição fonética do sânscrito, persa e árabe, em seu propósito de estabelecer a origem única das línguas europeias.

Na segunda metade do século XIX, Henri Sweet já demonstrava uma preocupação sincrônica pelo estudo dos sons das línguas e, em seu livro *Handbook of Phonetics* (1877), estabelece a distinção entre sons que, numa dada língua, dependem do contexto circunvizinho e sons que estabelecem, quando comutados um pelo outro, mudança no sentido da palavra. Mais uma vez, tal como se viu no caso do gramático islandês anônimo, na tentativa de descrição fonética minuciosa, se encontra um embrião do conceito de fonema.

Daniel Jones segue a tradição de Sweet e é ele quem estabelece a distinção entre *transcrição lata* e *transcrição restrita* em seu *Outline of English Phonetics* (1918), para contornar o problema já identificado por Sweet da enorme variabilidade da pronúncia dos sons e a impossibilidade de se chegar ao ideal de escrever cada som distinto com um símbolo específico.

O progresso atual da fonética articulatória se tornou possível graças à aliança com os estudos experimentais na área da fisiologia e da acústica dos sons. Nesses estudos, o que se procura é tornar visível à observação os mecanismos de produção. Assim é que, no século XV, Leonardo da Vinci criou tábuas anatômicas para conhecer melhor o funcionamento da laringe e das cordas vocais. E a primeira tentativa de síntese da fala é do século XVIII, com a máquina falante do barão von Kempeler, que reproduzia as câmaras de ressonância do aparelho fonador. Os *sintetizadores de fala* modernos são bem mais sofisticados e se baseiam nos princípios de Hermann von Helmholtz (1863) sobre ressonância e os de Ludimar Hermann (1890) sobre os formantes. Com esses instrumentos se podem produzir artificialmente vogais e consoantes, isolar e controlar cada um dos componentes acústicos de um som e, através de experimentos, realizar estudos sobre a percepção. O Teorema de Fourier que decompõe as vibrações sonoras é também indispensável para os estudos da natureza acústica da produção de som.

O grande avanço da fonética experimental deu-se no século XIX com o uso do *palato artificial* que permite determinar quais são as partes do palato tocadas pela língua na produção de um som e, sobretudo, com a invenção do *quimógrafo* por Karl Ludwig. O qui-

Fig. 11. Sonagrama das palavras *rata* e *reta*.

mógrafo permite registrar não só os diferentes movimentos articulatórios da língua, lábios, abóbada palatina, respiração, mas também as qualidades quantitativas e musicais por meio de uma curva facilmente analisável, traçada num papel preto. Com o auxílio de uma ogiva nasal é possível registrar a corrente de ar que sai pelo nariz e assim se estudar separadamente o processo de nasalização. Os melhores resultados do uso do quimógrafo foram condensados pelo abade Rousselot em seu livro *Principes de phonétique expérimentale* (1897-1908), em que expõe os resultados de suas pesquisas iniciadas com o falar de sua terra natal.

O quimógrafo, amplamente utilizado no século passado, foi paulatinamente substituído por aparelhos eletroacústicos mais sofisticados como o *oscilógrafo*, o *espectrógrafo* e o *sonágrafo*. O oscilógrafo permite medir a amplitude sonora, por seu registro óptico, e estudar o acento dinâmico ou expiratório. O espectrógrafo (ou sonágrafo) é um analisador de sons que, através de filtros, decompõe a onda sonora obtendo-se o espectro acústico visível de uma vogal num papel sensibilizado eletricamente, onde se imprimem, com um estilete, as concentrações de energia em áreas de frequência (os *formantes*). Seu resultado denomina-se *espectrograma* (ou sonagrama).

Mais recentemente começou-se a explorar o uso de modelos e sistemas computadorizáveis a fim de aprimorar a análise do contínuo sonoro.

Apesar de todo esse progresso, ainda permanecem não de todo claras, dada a sua complexidade, as inter-relações entre a produção da fala e o sinal acústico dela resultante, principalmente no que diz respeito ao mapeamento entre o sinal e a sequência de símbolos discretos, tal como os propostos pela fonética articulatória nos alfabetos fonéticos. Ainda não estão completamente resolvidos os princípios de segmentação e de discriminação de um registro acústico. Nesse sentido, o artigo de June E. Shoup e Larry L. Pfeifer, "Acoustic Characteristics of Speech Sounds", constitui um bom resumo dos encontros e dificuldades das duas disciplinas.

2. Do estruturalismo à fonologia pós-chomskiana

A ideia de uma entidade mais abstrata do que o som da fala, de natureza quer psicológica, quer fisiológica — por uns entendida como uma família de sons, por outros, como um artefato de analistas — esteve latente nos trabalhos de vários gramáticos do século XIX. Porém, como se viu em I.2, os fundamentos de uma nova disciplina diferenciada da fonética se devem ao Círculo Linguístico de Praga, um grupo de estudiosos que se reuniu em torno do príncipe Nikolai Trubetzkoy, em Viena, de 1923 a 1939. A preocupação central dos linguistas do Círculo de Praga foi estender à parte sonora da linguagem as ideias de Ferdinand de Saussure, mantendo constante a dicotomia língua-fala e estabelecendo uma unidade operacional mínima e discreta, o fonema, que pertenceria a *langue*, suas variações fonéticas, as variantes posicionais, combinatórias e estilísticas, pertencendo a *parole*.

Na escola de Praga o fonema é conhecido como um feixe de traços distintivos, cada traço que compõe o feixe operando em oposição a um outro traço componente de outro fonema. A noção de sistema leva a classificar as oposições dos vários domínios de dimensão fonológica de uma língua, tanto no *eixo sintagmático* (estrutura silábica, elementos demarcativos etc.) quanto no *eixo paradigmático* (oposições que acarretam mudança de sentido).

A exemplificação que daremos a seguir, baseada na análise de J. Mattoso Câmara Jr. para o dialeto carioca do português, ilustra a complexidade de um sistema fonológico, o qual, pela concepção do Círculo de Praga, não deve ser visto como resultante do estabelecimento automático de unidades distintivas, isoladas e autônomas, mas sim como uma teia de relações de diferentes conteúdos entre os vários tipos de oposições.

Segundo CÂMARA JR. (1953), as consoantes do português, líquidas à parte, podem ser classificadas segundo as oposições oral/nasal, oclusivas/fricativas e articulação labial, ânterolingual e pósterolingual, oposições que podem ser visualizadas nos triângulos abaixo:

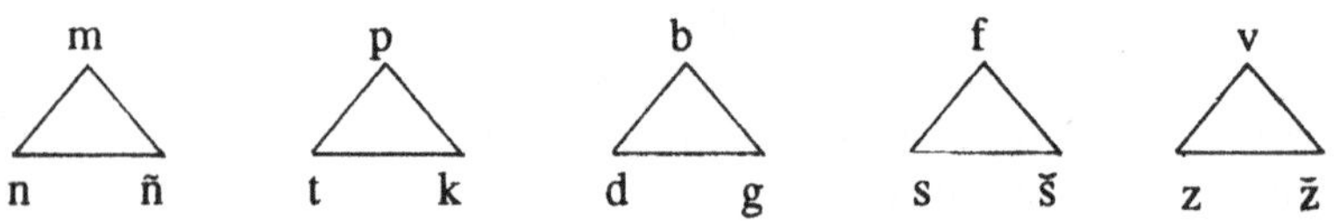

As oposições /p/:/b/ ou /v/:/f/ são oposições *privativas* de um termo marcado pela presença do traço sonoridade e sua ausência. Em /m/:/b/ a oposição é também privativa de um termo marcado pelo traço nasalidade e outro, pela ausência desse traço. A oposição do tipo /p/:/b/, além de ser privativa, é também *bilateral*, porque são esses os únicos fonemas do português a que se pode atribuir o rótulo 'oclusivas bilabiais orais'. O par /f/:/v/ também está numa relação de oposição bilateral, pois somente a ele se pode atribuir o nome de 'fricativas labiais'. O mesmo não se pode dizer do par /m/:/b/, pois um é nasal, traço que é compartilhado por /n/ e /ñ/ e o outro oclusivo, traço compartilhado por /p/, /t/, /k/, /b/, /d/ e /g/, não havendo, assim, uma designação que seja a eles exclusiva. Esse tipo de oposição é denominada *multilateral.* Comparando-se o sistema do português com o do tai (língua da família sino-tibetana) ou o do grego, em que há, na série oclusiva, além da oposição surdo/sonoro, a oposição aspirado/não aspirado, pode-se dizer que /p/:/b/ mantêm entre si uma oposição bilateral, mas sua definição tem de ser modificada para 'oclusivas não aspiradas bilabiais orais'.

Outro tipo de oposição que se pode depreender do sistema consonantal do português é a que vigora entre /p/:/b/ = /t/:/d/ = /k/:/g/, isto é, a relação que se estabelece entre os membros do primeiro par é da mesma natureza que a que se estabelece entre os membros do segundo, a qual é igual à relação dos membros do terceiro. Esse tipo de oposição é denominado *proporcional.*

O sistema de sete vogais do português (/i/, /e/, /ɛ/, /u/, /o/, /ɔ/, /a/) do Brasil oferece um exemplo de oposições *graduais*, uma vez que há três graus de abertura com propriedades distintivas. Já a oposição entre as consoantes /p/:/t/ é denominada *equipolente*, por não se poder estabelecer uma gradação de recuo da língua na articulação das consoantes.

A oposição gradual do sistema de sete vogais do português não é uma oposição *constante*, como o é o das áreas de articulação das consoantes oclusivas. Os graus de abertura vocálica só se opõem plenamente em posição tônica. Em sílaba átona final, no dialeto carioca, só ocorrem [i], [u] e [ɑ] e na pretônica [i], [e], [u], [o], [ɑ]. Há, assim, uma neutralização da distinção de grau de abertura nas vogais e a unidade resultante é denominada *arquifonema*, cuja representação se faz por um símbolo diferente, em geral, uma letra maiúscula. Assim em posição átona final o arquifonema /I/ realiza-se como [i] e o /U/ como [u]; na pretônica o arquifonema /O/ realizar-se-á, dependendo do dialeto, como [o] ou [ɔ] e o arquifonema /E/ como [e] ou [ɛ] (cf. I.2c e III.2).

Esses procedimentos de análise são aplicados aos elementos segmentais — consoantes e vogais — e aos suprassegmentais — sílaba, quantidade, acento — em seus aspectos contrastivos e delimitadores de unidade, como, por exemplo, a palavra (cf. I.2).

Das correntes estruturalistas, a que teve maior penetração no Brasil foi a linha norte-americana que, seguindo Daniel Jones, define o fonema como uma família de sons foneticamente semelhantes, sons esses relacionados de tal modo que nenhum deles ocorra no mesmo ambiente que qualquer outro som componente do mesmo fonema.

Na prática, para o estabelecimento dos fonemas de uma língua, pela definição acima, são usados dois procedimentos básicos: o *contraste* e a *distribuição complementar*. Estarão em contraste e serão membros de fonemas distintos sons cuja ocorrência não se possa atribuir ao ambiente fonético circunvizinho e cuja troca de um por outro, num mesmo contexto, coincida com uma mudança de significado. Assim, em português [p] e [b] são fonemas distintos, /p/ e /b/, porque ocorrem no mesmo ambiente e a troca de um por outro é acompanhada de mudança de sentido em palavras como pata:bata, prado:brado, roupa:rouba. Pares como esses, que só diferem em um segmento e em que há sentidos diferentes, são denominados *pares mínimos* e são dados ideais para a depreensão de fonemas. Na ausência de pares mínimos, usa-se o *par análogo*, aquele que difere em mais de um segmento, diferença que não é motivada pelo contexto fonético adjacente. Assim pato:bela é um par análogo e com ele também se pode estabelecer a natureza fonêmica de [p] e [b]: nada há nos ambientes fonéticos que antecedem e sucedem [p] e [b] que êpossa induzir ao vozeamento ou desvozeamento, pois ambos estão em início de palavra e são seguidos por uma vogal sonora.

Os sons que não contrastam podem 1) ser condicionados pelos sons circunvizinhos ou 2) estar em variação (cf. I.2c e III.4). Se a diferença entre os sons puder ser explicada pelo ambiente fonético em que se encontram, têm-se *alofones*, sons em distribuição complementar. Em português, no dialeto carioca, as africadas palatais, [tš] e [dž] estão em distribuição complementar com as oclusivas dentais [t] e [d]. O quadro abaixo mostra essa distribuição.

QUADRO

	Diante de i	Diante de Outras Vogais
t		x
d		x
tš	x	
dž	x	

No quadro acima visualiza-se que [t] e [d] ocorrem no mesmo ambiente: estão, pois, em contraste. [tš] e [dž] também ocorrem no mesmo ambiente e estão em contraste, porém se encontram em distribuição complementar com [t] e [d]. Pela definição de fonema como uma classe de sons em distribuição complementar [t] e [d] não podem fazer parte do mesmo fonema, pois contrastam no mesmo ambiente. [tš] e [dž] também contrastam entre si, mas estão em distribuição complementar com [t] e [d]. Pelo princípio da semelhança fonética classifica-se [t] junto com [tš] (ambos são desvozeados) como alofones de um mesmo fonema, para o qual se escolhe como *norma* de representação o símbolo t, por ser o de distribuição mais ampla, colocando-o entre barras inclinadas, /t/, para indicar uma *transcrição fonêmica* distinta da transcrição fonética, feita entre colchetes. O mesmo raciocínio se aplica para classificar [d] e [dž] como submembros de uma família de sons /d/.

No estabelecimento da alofonia de fonemas, uma questão bastante discutida pelos estruturalistas é o *debordamento fonêmico* (*phonemic overlapping*), questão que se tornou mais tarde conhecida como *condição da invariância.* Por debordamento entende-se a possibilidade de um mesmo som ser submembro de dois fonemas distintos. Vejamos um exemplo em português.

As fricativas [s], [z], [š] e [ž] contrastam, em português, tanto em posição intervocálica, como em início de palavra, como os seguintes pares mínimos demonstram: a[s]a 'assa': a[z]a 'aza': a[š]a 'acha': a[ž]a 'haja'; [š]á 'chá': [ž]á 'já', [s]inco 'cinco': [z]inco 'zinco'. Dependendo, porém, do dialeto só ocorrem [s] ou [š] quando se segue uma consoante surda (pa[s]ta ou pa[š]ta) e [z] ou [ž] quando a consoante seguinte é sonora (me[z]mo ou me[ž]mo). Assim diante de consoante não há mais o contraste surdo/sonoro, alveolar/palatal, sendo a ocorrência do vozeamento determinada pela qualidade surda ou sonora da consoante seguinte e a palatalização dependente do dialeto. Uma vez que a fonologia estruturalista norte-americana não opera com o conceito de neutralização, que é o fenômeno caracterizado aqui segundo a escola de Praga, a questão se põe em termos de debordamento entre alofones de fonemas distintos: trata-se de decidir se é permissível atribuir [s], [š] e [ž] como alofones tanto dos fonemas /s/, /š/ e /ž/ respectivamente, quanto do fonema /s/, neste caso, apenas no ambiente em que antecedem consoante. Nessa análise possível, há um debordamento parcial e não total dos alofones, uma vez que há um condicionamento fonético para os sons debordantes: [s], [z] e [ž] como alofones respectivamente de /s/, /z/ e /ž/ estariam limitados ao ambiente intervocálico e inicial de palavra. Já [z], que seria submembro do fonema /s/, só ocorre diante de consoante sonora, nos dialetos que não palatalizam; nos dialetos que palatalizam, como o carioca, por exemplo, o fonema /s/ teria três alofones: [s] ocorrendo em posição intervocálica e inicial de palavra; [š] ocorrendo diante de consoante surda e [ž] ocorrendo diante de consoante sonora. Observe-se que a ortografia do português é coerente com esse tipo de representação.

B. Bloch, em seu artigo "Phonemic Overlapping", arrola diversos casos de debordamento total e parcial e decide pela proibição do debordamento total, condição que passa a ser uma máxima governante das relações entre a transcrição fonética e a representação fonêmica. Outros linguistas, como K. Pike, não permitem nem mesmo o debordamento parcial. Essa perspectiva foi condensada na máxima 'uma vez fonema, sempre fonema'. Por essa versão forte da condição de invariância, um som atribuído a um fonema deve ser sempre representado fonemicamente por aquele fonema. Pela análise que permite o debordamento parcial (*condição de invariância fraca*), pa[š]ta é representado fonemicamente como /pasta/ e na análise que não permite o debordamento parcial (*condição de invariância forte*), a representação fonológica será /pašta/.

A condição de não debordamento traduz o ideal da fonêmica estruturalista norte-americana de tornar a relação entre a representação fonética e a fonêmica transparente e totalmente recuperável, a partir dos sons circunvizinhos: dever-se-ia converter uma transcrição fonêmica em sua produção fonética tendo-se como informação apenas os sons adjacentes (*condição de determinação local*), sem qualquer apelo a informações de natureza morfológica ou sintática. Do mesmo modo, dada uma transcrição fonética, se deveria chegar à transcrição fonêmica, usando-se apenas os sons circunvizinhos para a distribuição da alofonia. A essa condição de transparência e reversibilidade automática deu-se o nome de *biunivocidade*.

Foi a essa visão fisicalista da fonologia que CHOMSKY & HALLE (1968) opuseram um modelo em que se abolem as condições de biunivocidade, de determinação local e de invariância. A relação entre a representação fonológica e a produção fonética deixa de ser transparente e torna-se bem mais abstrata. No modelo estruturalista, além da exigência de relações biunívocas, invariáveis e determináveis automaticamente, havia também a *condição de linearidade*, segundo a qual a sequência dos fonemas na representação fonêmica deveria ser a mesma da de fones na representação fonética. O modelo estruturalista privilegiava, sobretudo, uma descrição por *elemento e arranjo*, excluindo qualquer tipo de regra que não fosse a expressão não formalizada da distribuição complementar. Por exemplo, a descrição da alofonia constitutiva dos fonemas /t/ e /d/ do dialeto carioca seria feita do seguinte modo:

	[tš]	ocorre diante de/i/		[dž]	ocorre diante de/i/
/t/			/d/		
	[t]	ocorre nos demais ambientes		[d]	ocorre nos demais ambientes

Uma descrição por elemento e processo, expressa formalmente por meio de regras de reescritura do tipo

$$t \longrightarrow tš \ / \ \underline{\quad\quad} \ i,$$

que se lê 't é reescrito tš quando precede a vogal i', ficava restrita aos processos de natureza histórica.

Chomsky e Halle reintroduzem, na análise sincrônica, a descrição processual, criando um formalismo altamente elaborado e poderoso de modo a permitir a expressão de processos fonológicos: essas regras de reescrituras passam a ser ordenadas e a conter informações morfossintáticas, aplicando-se ciclicamente segundo tipos de fronteiras morfológicas e sintáticas.

O argumento principal apresentado pelos precursores da fonologia gerativa em favor dessas modificações é que as condições de biunivocidade, determinação local, invariância e linearidade levavam à atomização dos fenômenos fonológicos, mascarando as generalizações depreensíveis de um sistema linguístico, generalizações que seriam psicologicamente válidas e representativas da gramática internalizada pelo falante de uma língua.

Um exemplo ilustrativo dos procedimentos da fonologia gerativa é a formação do plural dos substantivos em português que se examinará a seguir.

Na gramática tradicional a formação do plural é descrita independentemente da fonologia e as raízes e radicais dos substantivos e adjetivos têm de ser divididos em classes a fim de que se possam acrescentar os morfemas *-s* e *-es*. Caso bem complexo é o do plural dos nomes terminados em *-ão*. Muitas vezes o que se faz é listar palavra por palavra, explicando-se a idiossincrasia de cada raiz.

O modelo gerativo recorre às alternâncias em formas como leão ~ leões ~ leonino, capitão ~ capitães ~ capitanear, mão ~ mãos ~ manual para estabelecer representações subjacentes leon+e(+s), kapitan+e(+s), man+o(+s) a partir das quais, através de regras ordenadas, se chegará às saídas fonéticas adequadas, conforme se pode ver nas *derivações* abaixo.

leon+e	leon+e+s	*kapitan+e*	*kapitan+e+s*	
leon	—	kapitan	—	1. apócope do e
leõn	leõnes	kapitãn	kapitãnes	2. nasalização
leõ	leões	kapitã	kapitães	3. queda do n
leã	—	—	—	4. desarredondamento do õ
leãw	—	kapitãw	—	5. inserção de w
—	leõis		kapitãis	6. neutralização das vogais átonas
—	leõys	—	kapitãys	7. assilabação do i
leãw̃	leõỹs	kapitãw̃	kapitãỹs	8. assimilação da nasalidade
—	leõỹs	—	kapitãỹš	9. palatalização do s
leα̃w̃	—	kapit̃α̃w̃	kapitα̃ỹš	10. alçamento da vogal nasal

A regra 10 é específica do dialeto carioca e não figurará na gramática de outros dialetos que não palatalizam.

Seguindo-se o mesmo procedimento e com base em alternâncias do tipo hostil ~ hostilidade, rapaz ~ rapazes ~ rapaziada, mar ~ mares ~ marítimo pode-se derivar o plural das palavras terminadas em *l, z* ou *r* partindo-se de formas subjacentes como ostil+e(+s), rapaz+e(+s), mar+e(+s). Outras regras são necessárias para dar conta da síncope do *l* intervocálico e sua vocalização em *w* quando em posição final e pronúncia do *r* em início e fim de palavra. Palavras como "ano", "cavalo" que têm *n* e *l* em posição intervocálica, podem ter dois tipos de representação subjacente. Dependendo da análise, serão representados como 1) 'anno' e 'kavallo', acrescentando-se à gramática uma regra de degeminação, ou como 2) 'ano' e 'kavalo', marcando-as com o traço diacrítico [-S] para indicar que não são sujeitas à regra de síncope. Palavras como pires, que não mudam no plural, serão representadas pires (+s) a elas se aplicando a regra de degeminação.

Com esse tipo de descrição é possível simplificar a regra de formação do plural em português, que passa a ser apenas o acréscimo do morfema *-s*. As representações subjacentes que foram postuladas não devem, de acordo com a teoria gerativa, ser vistas como meros artefatos de análise, produzidos pelo linguista. De acordo com o pensamento gerativista, essas formas são independentemente motivadas, pois com elas se generaliza não só a regra de formação do plural, mas também as de acentuação — 'acentue a penúltima sílaba' — e a de formação do feminino: 'leoa' é derivado de *leon+a* e 'capitã' de *kapitan+a*. Alternâncias em radicais do tipo voz~vocal, encontradas também em formas como médico~medicina, crítica~criticismo, corroboram a presença do *-e* final em representações subjacentes como [rapaz+e] [vok+e], nesta última, tal como em [mɛdik+o]~[mɛdik+in+a], atua a regra de abrandamento das consoantes oclusivas velares diante de vogal anterior. Assim as regras e as representações subjacentes postuladas não se restringem ao processo de formação de plural, sendo necessárias para captar as generalizações de outros processos do português.

Porém, para que se alcance o resultado correto é necessária a aplicação ordenada das regras. Assim a regra que acentua a penúltima sílaba deve preceder a aplicação da regra de síncope do *e*, a qual, por sua vez, só se pode aplicar depois da regra de abrandamento das consoantes oclusivas velares. Esse tipo de ordenamento, em que se estipula e controla o lugar na derivação, em que uma determinada regra irá aplicar, é denominado *ordenamento extrínseco*. Por exemplo: para derivar-se 'lã' da representação subjacente, geralmente aceita nesse tipo de análise, lan+a por meio das regras já vistas (com as etapas lãna > lãa > lãã > lã > lα̃), é necessário ordenar a regra de crase das vogais, depois da regra de inserção do *w*, sem o que se obteria [*l*α̃*w*]. Do mesmo modo para que se gere 'bom' [bõ]de bon+o, a regra de crase tem de ser ordenada depois da regra de desarredondamento do *õ* e inserção do *w*, para que não se obtenha a forma [*b*α̃*w̃*].

Além de extrinsecamente ordenadas, as regras são aplicadas em ciclos, obedecendo a fronteiras morfológicas e sintáticas. A exemplificação dada a seguir ilustra a motivação e os princípios gerais da *aplicação cíclica*.

Os sufixos *-mente*, *-(z)inho/-(z)inha*, *-íssimo/-íssima* acarretam às raízes ou radicais a que são acrescentados um comportamento diferenciado: 1) *-(z)inho/-(z)inha* permite que a base nominal se flexione em gênero e número (irmãzinha, irmãozinho, leõezinhos); 2) a qualidade da vogal da base original se mantém (av[ɔ]zinha, b[ɛ]líssimo, f[ɔ]rtemente). Isto contraria a generalização de que em posição pretônica neutraliza-se o contraste entre /e/:/ɛ/ e /o/:/ɔ/, a realização como vogal média aberta ou fechada sendo determinada dialetalmente. A

neutralização se verifica quando outros sufixos são acrescentados (b[ɛ]lo: beleza). A fonologia gerativa estabelece entre aqueles sufixos e a raiz ou radical uma juntura diversa da que ocorre com outros elementos formativos da palavra. Essa juntura é simbolizada por (#), enquanto que a dos outros sufixos é (+). Assim a forma subjacente de 'fortemente' é [# # [# fort+e #]mente ##] e a ela a regra de acentuação
adv adj adj adv
se aplica em dois ciclos. No primeiro — [#fort+e #] acentua a penúl-
adj adj
tima sílaba, após o que se aplica a regra de neutralização que eleva o *e* átono a *i*, o que cria, no dialeto carioca, o ambiente para a aplicação da regra de palatalização. O término de cada ciclo acarreta o apagamento dos colchetes com rótulos morfológicos e a atribuição de novo acento no ciclo posterior determina a diminuição da intensidade do acento atribuído no ciclo anterior. Assim a forma a que se aplicam no segundo ciclo as regras de acentuação, neutralização e palatalização é [### fɔrtš+i#mente##]. Assim se explica por que a regra de neutra-
adv adv
lização não eleva [ɔ] para [o]: ele foi acentuado não sendo, portanto, átono. A derivação abaixo visualiza esses procedimentos.

	[# # [# forte+e #] mente ##] adv adj adj adv	
1º ciclo 2º ciclo	______________ ____________________________	
1º ciclo	# f$\overset{1}{\text{ɔ}}$rt+e #	1. acentuação
	# f$\overset{1}{\text{ɔ}}$rt+i #	2. neutralização
	# f$\overset{1}{\text{ɔ}}$rtš+i #	3. palatalização
2º ciclo	# # # f$\overset{2}{\text{ɔ}}$rtš+i # m$\overset{1}{\text{e}}$nte # #	1. acentuação
	# # # f$\overset{2}{\text{ɔ}}$rtš+i # m$\overset{1}{\text{e}}$nti # #	2. neutralização
	# # # f$\overset{2}{\text{ɔ}}$rtš+i # m$\overset{1}{\text{e}}$ntši # #	3. palatalização
	# # # f$\overset{2}{\text{ɔ}}$rtš+i # m$\overset{1}{\tilde{\text{e}}}$ntši # #	4. nasalização
	# # # f$\overset{2}{\text{ɔ}}$rtš+i # m$\overset{1}{\tilde{\text{e}}}$tši # #	5. síncope do n

Para que se alcance o resultado fonético correto [fɔrtšimẽtsi] é necessária uma regra de ajustamento do acento que diminua ainda mais ou apague um acento à esquerda do outro.

O leitor deve ter observado que, ao se expor o modelo gerativista, substitui-se a expressão 'representação ou transcrição fonêmica' por 'representação subjacente'. Essa mudança não é meramente estilística e deve-se ao fato de os gerativistas negarem a existência de um nível operacional do tipo que fica explícito na designação 'transcrição fonêmica', por implicar esta a observância das condições de biunivocidade, linearidade, determinação local e invariância. Não reconhecem os gerativistas uma entidade como o fonema. Para eles, a unidade mínima que tem uma realidade psicológica e um valor operacional é o traço (não o feixe de traços, como concebiam os linguistas do Círculo de Praga). E em nenhuma das etapas de uma derivação se encontra ou é necessária uma unidade discreta como o fonema.

O modelo gerativista se caracteriza ademais pela busca de um vocabulário e formalização adequados que permitam à teoria avaliar metricamente as análises propostas em termos de simplicidade e naturalidade: quanto mais geral o processo, mais simples e econômica deverá ser sua formalização e, inversamente, quanto menos natural e específico, mais custosas e marcadas deverão ser as regras. No último capítulo de *The Sound Pattern of English*, Chomsky e Halle substituem a teoria dos traços, feita em termos polares positivos (+) ou negativos (–), pela *teoria das marcas*, em que cada traço é antecedido por *m* ou *u*, *m* indicando marcado e *u*, não marcado. Um conjunto de convenções baseadas em maior naturalidade do segmento ou frequência do segmento convertem os *m* e *u* em (+) ou (–). Por essas convenções é possível medir o custo de representações subjacentes e de regras: segmentos e combinações de segmentos menos comuns e menos naturais terão maior número de traços marcados. Segundo essas convenções, um traço não marcado, por exemplo, poderá se converter em (+) ou (–), de acordo com o contexto em que se encontra: o traço [u consonantal] será convertido em [+ consonantal], quando se segue uma vogal ou se tem [– vocálico] como um dos componentes, e em [– consonantal] se tiver [+ vocálico] como um dos traços do segmento. Essas convenções são um meio de traduzir a generalização de que nas línguas as sequências mais comuns são as de consoantes precedendo vogal, a sílaba CV, e que as verdadeiras consoantes (oclusivas e fricativas) são mais comuns do que líquidas e glides (para uma especificação de classe de sons segundo uma teoria dos traços cf. II.3).

Os desenvolvimentos contemporâneos da fonologia se prendem a dois tópicos centrais da fonologia gerativa: o grau de abstração da representação subjacente e a naturalidade dos processos fonológicos.

Já em 1973, em seu clássico artigo "How Abstract Is Phonology", P. Kiparsky procura limitar o poder irrestrito que subjaz ao modelo gerativo, de formular representações subjacentes abstratas, sem maiores referências à realidade fonética. Um exemplo extremo é a forma subjacente para a palavra inglesa *boy*, 'menino', que em *The Sound Pattern of English* tem a forma subjacente b ɔ̄e. A crítica é de que não há foneticamente em inglês o som ɔ̄e. Kiparsky defende a posição de que não se devem formular representações subjacentes que não sejam motivadas por alternâncias morfofonológicas na estrutura de superfície. Assim como em inglês *boy* não alterna com nenhuma outra forma em todos os seus derivados não poderá ter como representação outra forma que não *boy*. Já no caso visto anteriormente das representações do português *leone, kapitane, lana* e *bono* para representar 'leão' 'capitão', 'lã' e 'bom' há alternâncias morfofonêmicas que as justificam.

Uma corrente que surgiu da crítica à abstração das representações fonológicas é a denominada *fonologia gerativa natural* que, partindo dos trabalhos de Theo Vennemann, continuados por Joan Hooper, estabelece como representação subjacente uma forma igual à forma fonética. As regras fonológicas passam a ser generalizações verdadeiras sobre a boa formação da estrutura fonética de superfície e podem ser de dois tipos. Há regras e processos que são motivados foneticamente e que em sua formulação contêm apenas informação fonética (segmentos fonéticos, fronteira silábica etc.). Essas regras são vivas, produtivas e sem exceção. Tal é o caso da palatalização do *t* diante do *i* no dialeto carioca. Já as regras que dão conta de alternâncias do tipo leão ~ leões ~ leonino, que se viu anteriormente, não são produtivas e essas correspondências de forma e sentido não devem ser expressas pelo mesmo tipo de formalização que as regras fonológicas produtivas, pois exprimem não mais generalizações fonéticas, mas sim léxico-semânticas. Esse segundo tipo de generalização é captado por meio de *para-regras* ou *via-regras* e admitem exceção e traços morfológicos ou lexicais em sua formulação. São, portanto, processos distintos das regras fonológicas naturais. Passa-se, pois, a distinguir formalmente regras fonológicas de regras morfológicas. A fonologia gerativa natural procura estabelecer os princípios e condições gerais que regem esses dois tipos de formalizações.

A corrente denominada *fonologia natural* parte também de uma crítica à teoria gerativa e se aproxima bastante da fonologia gerativa natural. A questão da naturalidade dos processos fonológicos é o ponto central desenvolvido por David Stampe. Segundo ele, a faculdade fonética inata aos homens pode ser representada por meio de processos muito gerais, de dois tipos: 1) *processos sintagmáticos*, que são devidos à contiguidade dos segmentos e que têm, portanto, uma motivação basicamente assimilatória e 2) *processos paradigmáticos*, que maximizam as propriedades acústicas ou assimilatórias de um segmento. Processos são diferentes de regras, por serem os primeiros parte do esquema natural geneticamente determinado do qual qualquer ser humano é dotado. Regras são especificidades de línguas, ocasionadas por acidentes históricos e são aprendidas pelos falantes. Para Stampe a aprendizagem dos processos fonológicos não é uma aquisição, mas sim o cancelamento de possibilidades universais que não se verificam em uma dada língua. A finalidade da fonologia seria determinar os processos naturais dos quais o homem é dotado.

Outras linhas de pesquisa fonológica desenvolveram-se recentemente e embora se distanciem do modelo gerativo padrão são nele inspirados. É o caso da *fonologia autossegmental* (GOLDSMITH, 1985) que surgiu do estudo de línguas tonais e da constatação de que as generalizações tonais não podem ser apreendidas se os tons forem considerados propriedades de um segmento. CLEMENTS (1976) e outros linguistas mostram que outros fenômenos, como a harmonia vocálica e a nasalização, devem ser considerados segundo uma análise multilinear e não mais linear — tal como propõe a teoria gerativa padrão — por ser o escopo desses fenômenos não um simples segmento mas a palavra inteira.

A *fonologia métrica* também vai se opor a ter como unidade de análise o segmento ou o fonema. LIBERMAN & PRINCE (1977), ao examinarem a acentuação, apresentaram a tese de que esta não deveria ser atribuída a um segmento, mas sim que deveria haver uma estrutura hierárquica (sílaba, pé, palavra prosódica) organizadora dos segmentos. Tal como na fonologia autossegmental o formalismo métrico foi estendido posteriormente a outros fenômenos fonológicos como a harmonia e a nasalização.

Assim, pelo rápido exame que se fez das diretrizes modernas das teorias fonológicas, pode-se verificar que os pontos centrais das discussões são: a) como se deve representar o padrão sonoro da linguagem humana, b) qual a unidade de análise e c) que tipos de regras e formalismos são admissíveis para a descrição da faculdade de falar. O pêndulo oscila de uma visão fisicalista para uma visão mentalista, de uma representação abstrata para uma representação quase que fonética, do traço à sílaba, da unilinearidade à multilinearidade, de processos extremamente simples de base acústico-articulatória a processos complexos 'não naturais', morfossintaticamente determinados.

3. Sistemas de traços distintivos

A concepção de fonema com um feixe de traços distintivos, segundo a definição do Círculo Linguístico de Praga, teve como consequência o estabelecimento de um sistema de traços que desse conta das oposições ocorrentes em todas as línguas. Com esse propósito Jakobson, Fant & Halle (1961) estabeleceram um inventário mínimo de traços fonológicos indispensáveis para esse fim. Esses traços, de definição acústica, traduzível em termos articulatórios, são de duas naturezas: *traços prosódicos* (tom, força e quantidade) e *inerentes*. Os *traços inerentes*, em número de doze, se dividem em duas classes: os *traços de sonoridade*, que utilizam em sua definição o volume e a concentração da energia no espectro acústico, e os de *tonalidade*, que envolvem os extremos das frequências dos sons. Dois traços inerentes de sonoridade — vocálico/não vocálico, consonantal/não consonantal — caracterizam quatro grandes classes de sons: as consoantes, as vogais, as líquidas e os glides, do seguinte modo:

	Vogal	Consoante	Líquidas	Glides
consonantal	–	+	+	–
vocálico	+	–	+	–

Outros traços inerentes de sonoridade são: compacto/difuso distingue as vogais baixas das altas), tenso/frouxo, surdo/sonoro, nasal/oral, contínuo/descontínuo (distingue as oclusivas e africadas das fricativas), estridente/doce (distingue africadas de fricativas e fricativas chiantes de fricativas não chiantes), brusco/fluente (que dá conta da oposição sons glotalizados *vs* sons não glotalizados).

Como traços de tonalidade tem-se: grave/agudo (que distingue sons periféricos como os labiais e os velares e as vogais posteriores dos sons centrais como as alveolares palatais e vogais anteriores), rebaixado/sustentado (que dá conta do arredondamento dos lábios nas vogais e nas consoantes labializadas), incisivo/raso (que distingue consoantes palatalizadas das não palatalizadas). Um sistema vocálico composto de *i, e, a, o, u* será caracterizado com os traços [grave], [compacto], [difuso], sendo o arredondamento dos lábios das posteriores (expresso pelo traço [rebaixado]) desnecessário, por ser redundante, uma vez que todas as vogais [+ grave] [– compacto] são sempre [+ rebaixado] nesse sistema. Também é redundante o traço [compacto] para as vogais *i, e, o, u*, como mostra a *matriz*:

		e	a	o	u
grave	–	–	+	+	+
difuso	+	–	–	–	+
compacto	(–)	(–)	+	(–)	(–)

Outro sistema de traços bastante difundido é o de Chomsky e Halle, apresentado em *The Sound Pattern of English*. Sua finalidade é diferente da do sistema de Jakobson, Fant e Halle. Não visa a estabelecer um inventário que dê conta dos contrastes das línguas conhecidas e sim procura 1) caracterizar as classes de sons naturais, isto é, aqueles sons que funcionam conjuntamente em regras fonológicas e 2) propiciar a formalização mais econômica de processos naturais, de modo a se poderem avaliar metricamente soluções e gramáticas de línguas naturais. É comum as consoantes nasais funcionarem como as líquidas, os glides e as vogais tanto na entrada de regras como no contexto em que se dá um processo. É, assim, necessário um traço que permita juntar consoantes nasais, líquidas, glides e vogais, separando-as das verdadeiras consoantes, as oclusivas, fricativas e africadas. Os traços [consonantal] [vocálico] do sistema de Jakobson, Fant e Halle são mantidos numa primeira versão, sendo [vocálico] substituído posteriormente por [silábico]. O traço proposto é [soante]. Consoantes nasais, líquidas, glides e vogais são [+ soante] e as verdadeiras consoantes [– soante]. E a fim de captar de modo econômico e natural processos, como a palatalização, no dialeto carioca, do *t* e do *d* diante de *i*, foram necessários traços que unissem vogais e consoantes. Os traços [difuso], [compacto], [grave] foram substituídos por [alto], [baixo] e [recuado]. Nesses novos traços está em ação o corpo da língua que se alteia, nos sons altos, acima da posição neutra (a posição para a pronúncia da vogal média central [ɔ] em inglês), está abaixo dessa posição nos sons baixos e recua para depois da área alveopalatal nos sons recuados. Por definição os sons [+ alto] são sempre [– baixo] e os [+ baixo] sempre [– alto]. Por esse sistema as vogais *i, e, a, o, u* são caracterizadas do seguinte modo:

	i	e	a	o	u
alto	+	–	–	–	+
baixo	–	–	+	–	–
recuado	–	–	+	+	+

E as consoantes com esses mesmos traços são:

	Palatais	Velares	Uvulares	Faringais	Glotais
alto	+	–	–	–	–
baixo	–	+	–	+	–
recuado	–	–	+	+	–

Dois traços, [coronal] e [anterior], substituem [grave] e [agudo]. [+ coronal] é o som produzido com a parte anterior da língua levantada acima da posição neutra e [+ anterior] é um som produzido com uma obstrução que se dá na região que antecede a área alveopalatal, a área da produção do [š]. Uma consoante bilabial é [– coronal] e [+ anterior] e uma alveolar [+ coronal] e [+ anterior]. As vogais são, por definição, [– coronal] e [– anterior], pois são produzidas pelos movimentos do corpo e não da parte anterior da língua e sua região de articulação fica situada depois da área alveopalatal.

Os traços [estridente] [nasal] [contínuo] [sonoro] do sistema anterior permanecem com as mesmas funções.

Com esse esquema referencial, os processos do português carioca em que

$$t \longrightarrow t\check{s} \; / \; \_\_\_ \; i$$
$$d \longrightarrow d\check{z} \; / \; \_\_\_ \; i$$

podem ser formalizados de modo natural como

$$\begin{bmatrix} +\text{cons.} \\ -\text{voc.} \\ -\text{cont.} \\ +\text{cor.} \\ +\text{ant.} \end{bmatrix} \longrightarrow \begin{bmatrix} +\text{est.} \\ +\text{alt.} \end{bmatrix} \; / \; \_\_\_ \begin{bmatrix} -\text{cons.} \\ +\text{voc.} \\ +\text{alt.} \\ -\text{rec.} \end{bmatrix}$$

e a natureza assimilatória fica expressa pelo traço [+ alto] no contexto e na mudança da descrição dos sons afetados.

As críticas ao sistema de Chomsky e Halle se prendem a uma falta de conteúdo fonético que possa expressar adequadamente a verdadeira definição acústico-articulatória dos processos e dos segmentos. Assim é que REDENBARGER (1981) mostra que a caracterização do segmento distintivo [α] do português de Portugal fica mal definida em termos reais fonéticos, segundo o esquema visto, uma vez que é ele articulatória e acusticamente [– recuado], o traço [+ baixo] sendo inadequado para defini-lo, por ser o mecanismo principal de sua produção a ação de forças da raiz da língua e não o seu abaixamento da posição neutra. Por outros caminhos CRISTÓFARO (1987) mostra que para a descrição do krenák, língua do tronco jê falada em Minas Gerais, é necessário estabelecer uma classe natural formada pelos sons [i, ε, a], sendo que [a] é foneticamente uma vogal [– recuada], e tanto [ε] quanto [a] são [+ baixo]. O recurso de usar os traços [arredondado] ou [tenso] para dar conta desse contraste contorna o problema, mas escamoteia o real conteúdo articulatório da oposição.

Outros sistemas foram propostos em que a definição fonética dos traços é mais acurada e concreta, como o de Peter Ladefoged, apresentado em seu livro *Preliminaries to Linguistic Phonetics*, referido no primeiro capítulo. Porém todas as reformulações atuais têm como ponto de partida o sistema de Chomsky e Halle, cujas linhas básicas foram aqui delineadas.

III

Descrição fonológica do português

1. O SISTEMA CONSONANTAL

Podemos classificar as consoantes da nossa língua segundo vários critérios. Uma divisão estritamente fonética irá distinguir consoantes oclusivas bilabiais (*p*, *b*) de consoantes fricativas labiodentais (*f*, *v*) e assim sucessivamente. No nível fonológico iremos levar em conta os traços distintivos que opõem fonemas entre si. Poderíamos, então, dentro de um critério estrutural reunir num só grupo as consoantes bilabiais e labiodentais, denominando a ambas consoantes labiais (*p*, *b*, *f*, *v*). Dentro da fonologia gerativa, vamos levar em conta os traços que as consoantes possuem e classificar todos os sons consonânticos a partir de um conjunto de traços que dê conta de todas as oposições.

Temos de lembrar que, em nossa língua, as consoantes não constituem centro de sílaba e aparecem sempre ao lado de uma vogal. Teremos, assim, a depender da posição que ocupe na sílaba — ao lado da vogal — consoantes pré-vocálicas (posição explosiva), ou pós-vocálicas (posição implosiva). Em relação ao vocábulo, as consoantes podem encontrar-se em posição inicial, medial ou final. Em posição medial há consoantes intervocálicas e não intervocálicas. O sistema consonântico deduzido em posição pré-vocálica inicial vale também para as medidas intervocálicas, contexto em que iremos encontrar exemplos de todas as oposições fonológicas. Em posição inicial de palavra alguns fonemas praticamente não ocorrem como [λ] e [ɾ] e em posição pós-vocálica o quadro das consoantes portuguesas se reduz a alguns fonemas. Algumas vezes, somos levados a crer pela sua representação ortográfica que todas as consoantes ocorrem naquela posição. Na verdade, em palavras como 'admirar', 'obter', 'optar' etc., na fala, mesmo na pronúncia culta, ocorre normalmente uma vogal entre as duas consoantes, vindo a se desenvolver, assim, uma nova sílaba.

De um ponto de vista estrutural, os estudos mais detalhados sobre o sistema fonológico do português do Brasil são sem dúvida os de

Mattoso Câmara Jr. Em seus trabalhos, ele classifica as consoantes, quanto ao modo de articulação, em oclusivas, fricativas, laterais e vibrantes (líquidas) e nasais, quanto ao ponto de articulação, em labiais, anteriores (ânterolinguais) e posteriores (pósterolinguais) e quanto ao papel das cordas vocais, em surdas e sonoras (as nasais e líquidas são sempre sonoras). O quadro seria então o seguinte:

	OCLUSIVAS SURDA-SONORA		FRICATIVAS SURDA-SONORA		NASAIS	LATERAIS	VIBRANTES
LAB.	p	b	f	v	m		
ANT.	t	d	s	z	n	l	r
POST.	k	g	š	ž	r	λ	R

As chamadas vibrantes irão merecer adiante um tratamento mais aprofundado, por levantarem questões controvertidas em nossa língua.

Todas as consoantes não irão apresentar a mesma realização em qualquer contexto. Já nos referimos ao fato de em posição pós-vocálica haver um número reduzido de consoantes. São elas: 1) uma líquida lateral que apresenta em certos dialetos uma variante posicional velarizada ou tende a vocalizar-se, anulando a oposição [*l*] x [w] — mal x mau, vil x viu. Essa mudança de [ɫ] para [w] faz surgir um ditongo [ɔw] em palavras como 'sol' e faz reaparecer o ditongo [ow], que em geral sofre monotongação, em palavras como 's[ow]dado'; 2) uma nasal — um arquifonema nasal, cuja existência está diretamente relacionada à interpretação fonológica das vogais nasais e cuja realização fonética irá depender da consoante subsequente: labial em 'campo', alveolar em 'canto', velar em 'canga' e palatal em 'gancho'; 3) uma líquida vibrante, cuja articulação varia, como veremos adiante, e 4) uma fricativa não labial — um arquifonema resultante da neutralização entre a fricativa anterior (alveolar) e posterior (palatalizada), surda ou sonora — o muitas vezes chamado arquifonema sibilante que irá apresentar no Rio de Janeiro, em 85,4% dos casos, uma realização palatal (cf. CALLOU & MARQUES (1975), a não ser em posição final, seguida de palavra iniciada por vogal, quando ocorrerá sempre [z]: ce[š]ta, me[ž]mo, doi[z] olhos.

O processo de neutralização ocorre frequentemente entre as consoantes da língua portuguesa. Merece uma referência especial o chamado *-s* implosivo, que tem sido objeto de comentário de vários estudiosos. Levando em conta aspectos sociolinguísticos, Callou &

Marques procuraram mostrar como se realiza o arquifonema na linguagem carioca levando em conta os condicionamentos a que estariam sujeitas as realizações. São diversos os contextos em que o *-s* implosivo pode ocorrer:

a) em posição final absoluta (*luz*);
b) em final de palavra, diante de consoante (*ás de espadas*);
c) em final de sílaba, no interior da palavra (*espadas*);
d) em final de palavra, diante de vogal (*lápis azul*).

Da observação sistemática de um *corpus* recolhido entre falantes cariocas (homens e mulheres) com nível de instrução superior, médio ou primário (semialfabetizado ou analfabeto), chegaram aquelas autoras à conclusão de que só é categórica a realização como fricativa alveolar sonora (*z*) quando o segmento fônico se encontra em final de palavra diante de vogal (piri[z] e uma xícara). Em posição medial observaram-se, em geral, as seguintes realizações:

— fricativa alveolar surda — e[s]quiloz
— fricativa alveolar sonora — a[z]no
— fricativa palatal surda — ago[š]to } predominam
— fricativa palatal sonora — ci[ž]ne } essas realizações
— fricativa laríngea (aspiração) — ja[h]mim
— zero fonético (tanto em posição final de palavra — 'óculo' por 'óculos', como em posição medial — 'catiçal' por 'castiçal' o *-s* implosivo não é realizado).

A realização da consoante está sujeita, como se pode ver pelos exemplos arrolados, a uma regra de assimilação: o segmento fônico se realizará como sonora diante de sonora (consoante ou vogal) e como surda diante de consoante surda.

A frequência (97,4%) e a uniformidade da realização palatal nos informantes de nível superior é, do ponto de vista diastrático, um dado importante. Resta saber em que medida essa constância no grupo de falantes de maior influência cultural pode vir a ser um elemento fundamental na difusão e irradiação da articulação palatal.

As consoantes líquidas (laterais e vibrantes) estão, por sua vez, relacionadas com as chamadas semivogais ou vogais assilábicas pelo fato de aparecerem nas mesmas posições: 1) depois de vogal (mais, mau, mal, mar); 2) entre consoante que precede e vogal que se segue (qu[y]eto, ig[w]al, cravo, clave) e 3) entre duas vogais (ra[y]o, raro, ralo, viu-a).

O sistema consonântico do português apresenta uma série de pares correlativos como (p):[b]; [t]:[d]; [k]:[g]; [f]:[v]; [s]:[z]; [š]:[ž] cuja marca de correlação é a sonoridade. Nem todas essas oposições são constantes, já que os pares [s]:[z]; [š]:[ž] não se opõem em posição final de sílaba ou de palavra, fato já referido anteriormente. Há, portanto, oposições neutralizáveis, o que determina uma redução no sistema de consoantes em alguns contextos.

Considerando que os fonemas são unidades discretas, isto é, ocorrem em número fixo e determinado em cada língua e a sua presença ou a sua ausência implica mudança de significação, podemos verificar que a partir de uma oposição, por exemplo, [p]:[b], iremos distinguir vários pares de vocábulos: pala/bala/pompa/bomba etc. Numa oposição do tipo rosa/rosas é a ausência ou presença do fonema pós-vocálico que irá exprimir a noção morfológica de singular/plural.

Alguns fonemas apresentam uma variação relativa na sua realização. Outros, como as consoantes oclusivas /t/ e /d/ apresentam uma variação sistemática a depender do contexto fônico e da região do país. No Rio de Janeiro, cada uma dessas consoantes apresenta diante da vogal [i] uma realização palatalizada, podendo chegar a realizar-se como africada. Podemos demonstrar o valor fonológico de determinadas consoantes através de oposições em vários contextos: posição inicial, medial intervocálica e medial não intervocálica: pala:tala:cala, capo:cato:caco, porta:porca, arca:harpa, fina:sina, mofo:moço, garfa:garça etc. A oposição de nasais a líquidas não apresenta condições ideais de comparação, já que foneticamente a nasal em posição explosiva modifica o timbre da vogal: punha:pura:pula, fina:fila:fira:filha, mata:lata:nata:rata etc.

Tomando por base os traços de Chomsky e Halle, podemos chegar a um conjunto de traços necessários e suficientes para opor os fonemas da nossa língua. Como já dissemos, com referência a traços que indicam características opostas, é possível empregar um sistema binário — sinais positivos e negativos — para mostrar se um atributo se faz presente ou não. Os seguintes traços dariam conta da oposição entre as nossas consoantes: *anterior, coronal* (traços relacionados com o ponto de articulação), *contínuo* (relacionado com o modo de articulação), *sonoro* (relacionado com o modo de emissão), além dos traços *nasal, lateral* e *soante* (traço de classe). Os segmentos serão distintos quando os valores (+) e (–) se contrapõem pelo menos por um dos traços. Chegaríamos, assim, ao seguinte quadro que representaria a *matriz fonológica.*

	p	b	t	d	k	g	f	v	s	z	š	ž	m	n	ɾ	l	λ	r	R
Soante	–	–	–	–	–	–	–	–	–	–	–	–	+	+	+	+	+	+	+
Cont.	–	–	–	–	–	–	+	+	+	+	+	+	–	–	–	+	+	+	+
Ant.	+	+	+	+	–	–	+	+	+	+	–	–	+	+	–	+	–	+	–
Cor.	–	–	+	+	–	–	–	–	+	+	+	+	–	+	+	+	+	+	–
Son.	–	+	–	+	–	+	–	+	–	+	–	+	+	+	+	+	+	+	+
Nas.	–	–	–	–	–	–	–	–	–	–	–	–	+	+	+	–	–	–	–
Lat.	–	–	–	–	–	–	–	–	–	–	–	–	–	–	–	+	+	–	–

Se compararmos esse quadro com a classificação fonética tradicional será fácil observar que o traço [+ contínuo] reúne as consoantes fricativas laterais e vibrantes (sons em cuja produção o ar sai sem interrupção), o traço [+ anterior] reúne as consoantes labiais, dentais e alveolares e o traço [+ coronal] reúne as consoantes alveolares e palatais. Finalmente, o traço (+ soante] agrupa as consoantes líquidas (laterais e vibrantes) e nasais (sons produzidos sempre com vibrações das cordas vocais).

Qualquer conjunto de traços que se venha a estabelecer oferecerá problemas, pois há sempre segmentos que poderão pertencer muitas vezes a classes mutuamente exclusivas. Nesse agrupamento, por exemplo, consideramos a classificação tradicional de duas consoantes vibrantes, simples e múltipla, em português, sem levarmos em conta que nem sempre a sua correlação é de tal natureza. No próximo item trataremos especificamente da interpretação da vibrante.

A interpretação da vibrante

No que se refere à vibrante em português, muitas são as questões levantadas tanto do ponto de vista fonético como fonológico. O que se diz tradicionalmente é que há duas espécies de *r* que se opõem fonologicamente apenas em posição intervocálica (careta:carreta, tora:torra) embora ocorra em muitos outros contextos: a) inicial (rato, roupa), b) final de sílaba no meio da palavra (corta, mergulho), c) final de palavra (bilhar, chegar) e d) como segundo elemento de grupo consonântico, (prato, praia). No penúltimo contexto podemos prever três possibilidades: 1) seguida de pausa (final absoluto) — mar, ver, 2) seguida de consoante — mar forte, ver bem e 3) seguida de vogal

— mar alto, ver o livro. O contexto *a* e *d* correspondem à posição pré-vocálica e os outros à posição pós-vocálica. Já nos referimos no item anterior ao fato de ser o *r* uma das consoantes a que fica reduzido o sistema consonântico em posição pós-vocálica. Se existem duas vibrantes em português que só se opõem em posição intervocálica é porque nos outros ambientes a oposição fica neutralizada: em posição inicial só ocorre o *r* forte (múltiplo), como segundo elemento de grupo consonântico ocorre de preferência o *r* fraco (simples) e em posição pós-vocálica pode ocorrer um ou outro. No Rio de Janeiro, parece predominar uma realização forte, nessa posição, a não ser quando se encontra seguida de palavra iniciada por vogal, contexto em que se realiza como vibrante simples, passando de pós-vocálica a pré-vocálica. Em posição final absoluta, a consoante é débil e a sua ausência é muitas vezes compensada por uma maior duração da vogal precedente.

Do ponto de vista estrutural, a melhor análise que possuímos dos fonemas do português do Brasil é sem dúvida a de Mattoso Câmara Jr. Na primeira edição (1953) da sua obra *Para o estudo da fonêmica portuguesa*, afirmava o autor que existia um único fonema vibrante. Em trabalhos posteriores reviu essa posição com base na realidade fonética, preferindo reconhecer duas vibrantes, que só se opõem em posição intervocálica, com neutralização nas outras posições.

No âmbito da fonologia gerativa não possuímos para o português uma descrição tão completa. MATEUS (1975) afirma (para o português de Portugal) que existem razões que a levam a estabelecer a integração das duas vibrantes na matriz fonológica, embora a questão seja controvertida.

Para que se chegue a uma interpretação mais correta da vibrante (ou vibrantes) não podemos mais do que nunca deixar de lado o aspecto fonético da questão. O chamado *r* fraco realiza-se quase sempre como uma vibrante apical simples, um tepe alveolar sonoro, embora possa apresentar uma realização retroflexa — como o seu correspondente forte — que caracteriza o chamado dialeto caipira. O *r* forte varia mais amplamente na sua realização e apresenta no falar culto carioca (CALLOU, 1987) as seguintes variantes: 1) vibrante múltipla anterior apicoalveolar sonora (transcrita aqui [r̄]), 2) vibrante múltipla posterior-uvular, de preferência (transcrita [ρ]), 3) fricativa velar surda (transcrita [x]), e 4) fricativa laríngea ou glotal (aspiração) surda [h]. No final da palavra, pode ainda reduzir-se a zero fonético ou realizar-se como vibrante simples [r] quando a palavra seguinte começa por vogal.

Sem remontar ao latim, gostaríamos apenas de lembrar que a oposição /-rr-/:/-r-/ manteve-se na România Ocidental: Não fazendo mais parte, porém, de séries correlativas essa oposição se mantém como uma consoante forte em relação a uma fraca, e não como uma geminada em relação a uma simples. Foi o que ocorreu em português e espanhol, até hoje, e, durante muito tempo, em francês. A oposição era, portanto, puramente quantitativa e só mais tarde passou a apresentar uma dìferenciação qualitativa.

A substituição de vibrações apicais por vibrações uvulares e velares para a vibrante forte em português parece datar de fins do século passado, pois já encontramos referências ao fato em VIANNA (1973), que observa, inclusive, a sua mudança para fricativa. Não há referência ao contexto em que tais alterações se dão.

Parece fora de dúvida de que a articulação anterior do *r* forte foi substituída por uma realização posterior em português e em outras línguas românicas. O foneticista HAMMARSTRÖM (1953) explica a mudança através da tensão necessária para articular as vibrações que produzem um *r* apicoalveolar. Outros linguistas preferem ver na passagem da articulação velar vibrante para uma velar fricativa e desta para uma aspiração, um processo de relaxamento e comodidade articulatória. A possibilidade de múltiplas realizações do 'R' não se limita às línguas românicas, tanto na variedade vibrante quanto na variedade fricativa.

As primeiras gramáticas portuguesas pouco informam sobre a sua pronúncia, preocupando-se apenas em estabelecer a existência de dois tipos, um *singelo* e outro *dobrado*. As gramáticas atuais (cf. CUNHA, 1986) apontam as diversas realizações do 'R' forte no português do Brasil, normalmente velar no Rio de Janeiro, apicoalveolar do Rio Grande do Sul e linguopalatal velarizada (retroflexo), característico da região norte de São Paulo e sul de Minas Gerais (dialeto caipira). Linguistas e filólogos outros chegaram a conclusões semelhantes.

Não há dúvida de que essas consoantes suscitam várias questões na nossa língua: a) parece ter havido uma mudança da norma de pronúncia da chamada vibrante forte, não só no ponto de artículação (de anterior para posterior) mas também no modo de artículação (de vibrante para fricativa); b) as diversas pronúncias já coexistiam no final do século passado e concorrem ainda hoje; c) a realização apicoalveolar continua a ser considerada a forma padrão básica para a linguagem do rádio, teatro e televisão (na última com menor rigidez), sendo considerada a variante de maior prestígio; d) o falante não se dá conta do tipo de variante que utiliza ele próprio ou seu interlocutor e e) existe uma tentatìva de relacionar regionalmente as variantes.

Retomando o problema da oposição fonológica das duas vibrantes, em posição intervocálica, vale lembrar que a marca de oposição entre /r/ e /rr/ consistia fundamentalmente na quantidade de vibrações e que durante o processo de evolução tal marca foi substituída por outra de natureza diversa. A oposição quantitativa foi substituída por uma do tipo qualitativo com a mudança do ponto de articulação de anterior (alveolar) para posterior (uvular ou velar) e de vibrante forte para fricativa. A primeira mudança já está inserida na classificação dos fonemas consonânticos feita por Mattoso Câmara Jr., como se pode ver no quadro da página 71. Essa mudança fonética de ponto de articulação já foi integrada, portanto, ao sistema fonológico. A mudança, no entanto, de modo de articulação, de vibrante posterior para fricativa posterior (que pode ter ocorrido num estágio posterior ou simultaneamente à mudança de ponto de articulação), determinaria, a nosso ver, uma reestruturação do sistema consonântico do português do Brasil — pelo menos no Rio de Janeiro (cf. CALLOU, 1987) que passaria a apresentar mais uma oposição de caráter qualitativo (vibrante anterior x fricativa posterior). Com o acréscimo do quadro de mais uma fricativa passaríamos a admitir a existência de uma única vibrante — na estrutura superficial, pelo menos — que com ela se relacionaria, não havendo modificação do número de fonemas. O que ocorreria, portanto, seria o que a *fonologia diacrônica estrutural* tem chamado tradicionalmente de *transfonologização*: uma correlação se converte em outra de diferente tipo, sem que haja perda de nenhum fonema.

As quatro variantes que ocorrem mais frequentemente na fala culta carioca e a que já nos referimos poderiam ser classificadas a partir dos seguintes traços fônicos: consonântico, vocálico, anterior e alto (cf. II.3)

	r̄	ρ	x	h
CONS.	+	+	+	+
VOC.	+	+	–	–
ANT.	+	–	–	–
ALTO	–	–	+	–

A explicação para a causa da mudança de vibrante para fricativa estaria talvez no caráter consonântico definido e absoluto do som fricativo. As fricativas possuem uma abertura articulatória mínima e uma energia articulatória e intensidade muscular consideráveis, sendo portanto sons que podem estabelecer um intenso contraste fônico com os sons vocálicos em contato na sílaba. A escassa diferença que separa as consoantes líquidas e as articulações vocálicas, traduzida em traços comuns, determina um contraste muito tênue entre as duas classes de sons e no caso da vibrante a modificação ocorrida se explicaria por um processo de intensificação ou reforço do caráter consonântico, chegando assim a uma fricativa.

Em posição final de vocábulo há mais uma realização a ser considerada: vibrante simples anterior, sempre que o vocábulo seguinte começa por vogal, passando a consoante de pós-vocálica a pré-vocálica. Não podemos deixar de considerar também o seu cancelamento que estamos chamando de realização zero. Tradicionalmente, tem-se considerado que a não preservação do segmento fônico nesse contexto estaria relacionada à linguagem popular. No entanto, na fala culta do Rio de Janeiro verificou-se ser também a sua ausência bastante generalizada. A explicação estaria numa tendência à simplificação da estrutura silábica, independente do tipo de linguagem utilizada, embora possa estar condicionada a outros fatores de natureza linguística ou extralinguística. Um desses fatores seria a característica morfofonêmica do segmento. A não realização é mais frequente quando representa a marca do infinitivo nos verbos do que quando não se trata de infinitivo ou faz parte do vocábulo de outra classe morfológica (substantivo, adjetivo etc.): torná ϕ, vendê ϕ é mais provável que vié ϕ, tivé ϕ, má ϕ, vulgá ϕ.

A realização fônica da consoante que ocorre com maior frequência nesse contexto é a aspiração (fricativa laríngea ou glotal), fato que nos faz supor uma fase anterior ao seu cancelamento. A consoante implosiva é débil por sua natureza e favorece um relaxamento máximo. Haveria então duas forças a atuar: uma articulatória e outra silábica, que leva a aumentar o desequilíbrio ou assimetria que constitui uma lei fundamental da sílaba: reforço da explosão e debilitação da implosão silábica.

No que se refere à interpretação da vibrante, muitos outros aspectos poderiam ainda ser considerados e alguns serão ainda tratados no capítulo sobre variação fonológica e mudança.

2. O SISTEMA VOCÁLICO

No português do Brasil existem sete fonemas vocálicos, depreendidos em sílaba tônica — contexto em que há maior estabilidade articulatória, encontrando-se oposição entre sala, s[ɔ]la, s[ɛ]la, s[e]de, s[ɛ]de, mira, mura, [o]ca, [ɔ]ca e assim sucessivamente. O sistema vocálico organiza-se de forma triangular, pelo fato de a vogal *a* não constituir uma dualidade opositiva, ocupando o vértice mais baixo de um triângulo de base para cima.

Além da classificação proposta pela Nomenclatura Gramatical Brasileira (NGB), que incorre em vários equívocos, existem muitas outras, mas, sem dúvida, a análise mais abrangente (estrutural) que possuímos das vogais portuguesas é a de Mattoso Câmara Jr. Tomando por base a localização articulatória, a elevação gradual da língua (correspondente ao abrimento bucal) e o arredondamento dos lábios, apresenta o autor a seguinte classificação:

	VOGAIS		
	anteriores	central	posteriores
altas	i		u
médias	e ɛ		o ɔ
baixas		a	
	não arredondadas		arredondadas

A oposição é gradativa (cf. II, 2) — abrimento mínimo a máximo — e quanto mais alta a vogal mais fechado será o timbre. Para as médias estabelece ainda graus, considerando as vogais [ɛ] e [o] como de 1º grau e [e] e [o] de 2º grau. O arredondamento dos lábios, como se pode facilmente observar pelo quadro, não constitui um traço distintivo, pois as vogais anteriores e central são não arredondadas e as posteriores são sempre arredondadas.

Este sistema completo de sete vogais só funciona em sílaba tônica. Nas sílabas átonas, ocorre o que se convencionou chamar, dentro da linguística estrutural europeia, de neutralização, isto é, o processo pelo qual dois ou mais fonemas que se opõem em determinado contexto deixam de fazê-lo em outro. De uma maneira geral, essa noção foi discutida no item I.2c e II.2. No que diz respeito às vogais, quanto maior o grau de atonicidade, maior a possibilidade de ocorrer neutralização. Nas sílabas átonas finais, de atonicidade máxima, desaparece a oposição entre as três vogais da série anterior e as três da série posterior, ficando o sistema reduzido a três vogais, *i, a, u*. O *i* representa toda a série anterior e o *u* a posterior: fac[i], faç[u], faça; pont[i], pont[u], ponta etc.

Em posição átona não final, mais especificamente, em posição pretônica, desaparece a oposição entre [e] e [ɛ], [o] e [ɔ] e o sistema reduz-se a cinco vogais, com a fixação do [e] e do [o] na pronúncia do Rio de Janeiro: espacial:especial, lavar:levar, arar:orar, pesar:pisar, rimar:rumar, moral:mural.

A precariedade do funcionamento desse sistema de cinco vogais pretônicas fica patente em exemplos do tipo 'menino', 'gordura', 'feliz', 'costura' etc., quando passa a funcionar o sistema de três vogais, semelhante ao de posição átona final. No registro informal do dialeto carioca, as oposições entre [e] e [o] de um lado e de outro lado entre [e] e [i] ficam prejudicadas pela tendência a harmonizar a altura das vogais pretônicas médias com a da tônica quando esta é alta: [e] ← [i] e [o] ← [u].

A realização das vogais pretônicas é um dos aspectos de que se têm servido vários autores para tentar delimitar áreas regionais. Segundo NASCENTES (1953), os subfalares que neutralizam em [ɔ] e [ɛ] os contrastes [o]:[ɔ] e [e]:[ɛ] constituiriam o grupo dos subfalares do Norte e os que neutralizam em [o] e [e], constituiriam o grupo dos subfalares do Sul. Convém esclarecer que para o autor os subfalares do Norte são dois: o amazônico e o nordestino; os do Sul são quatro: o baiano (intermediário entre os dois grupos); o fluminense, o mineiro e o sulista. O linguajar carioca é, para ele, uma variedade do subfalar fluminense.

HOUAISS (1958) diz que na área carioca, salvo em alienígenas, não se manifesta o timbre aberto tão característico do extenso território do Brasil — desde o Nordeste até certo ponto de Minas Gerais, pelo menos.

Uma delimitação dialetal mais precisa do sistema vocálico pretônico, assim como da extensão dos processos que acarretam modificações, ainda não foi esboçada. Não se conta com atlas e monografias das várias regiões do país que permitam traçar as linhas divisórias de cada fenômeno (isoglossas).

Dispomos até o momento de quatro atlas linguísticos: Bahia, Minas Gerais, Paraíba e Sergipe. Com base nos materiais fornecidos pelas cartas *nevoeiro* (12) e *neblina* (11, 20 e 12) daqueles atlas podemos verificar, a título de exemplicação, que o resultado da neutralização em sílaba pretônica é variável: ocorre [ɛ], ao lado de [i] nas

5 – Ocorreram ainda sĩˌzera (G-L) e ˌnɔpti (Fr, Rº)

9 (inf. B) – Respondeu antes *cerração*, mas a transcrição deixa margem a dúvidas.

20 (inf. A) – Acrescentou a sua primeira resposta *de sereno*.

21 – Repetindo a segunda resposta comum aos dois, o informante B disse nɛˌbrĩna.

Nos pontos 10 (inf. A), 17 (inf. A e B), 20 (inf. B), 22 (inf. B), 23 (inf. A), 31 (inf. A e B), 32 (inf. A), 37 (inf. B), 38 (inf. A e B), 39 (inf. B), 40 (inf. A), 41 (inf A e B), 45, 46, 47 e 49, anotou-se para *neblina* o valor de "chuva fina, chuvisco".

Nos pontos 44, 46, 47 e 49, acrescentou-se a essa distinção *lebréia* – chuva ainda mais fina que *neblina*.

Fig. 12. Carta 12 do *Atlas prévio dos falares baianos: neblina*

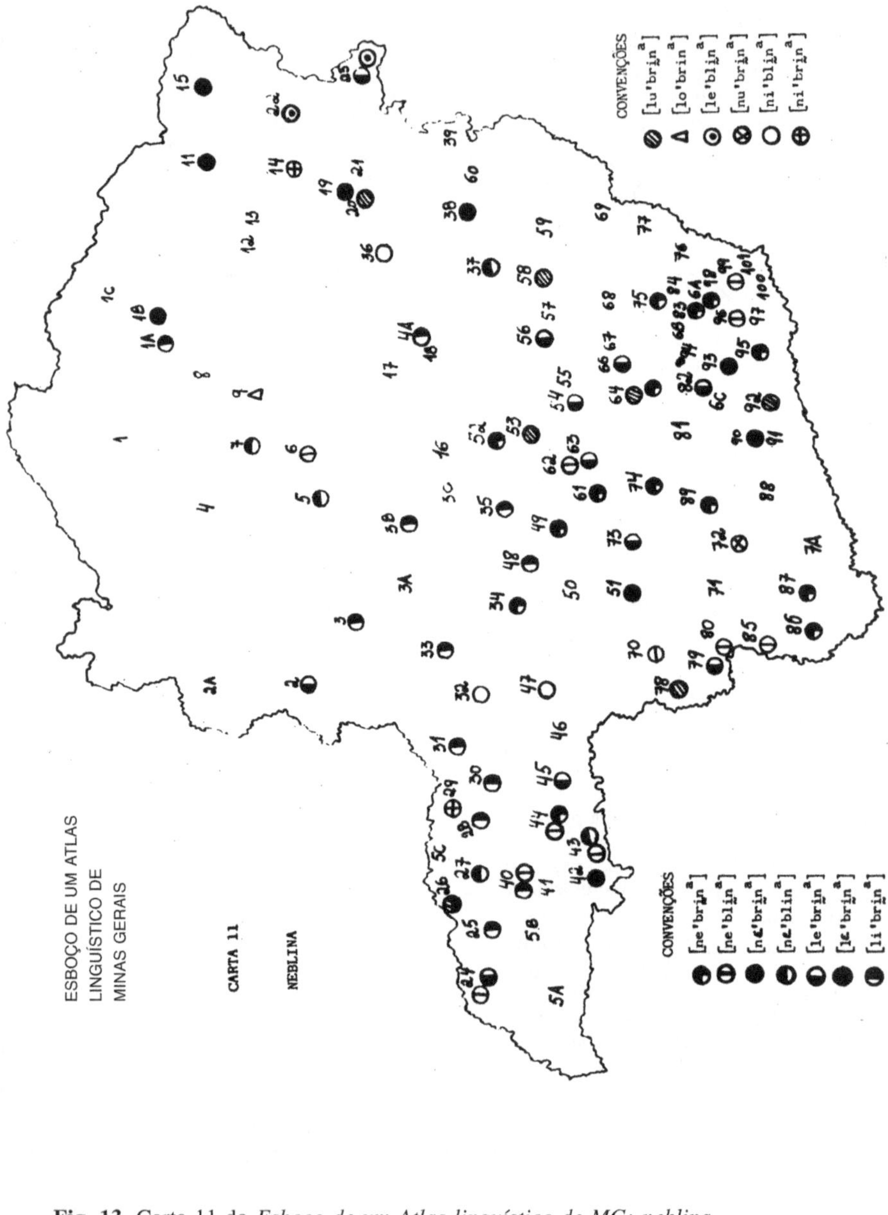

Fig. 13. Carta 11 do *Esboço de um Atlas linguístico de MG: neblina*

Fig. 14. Carta 20 do *Atlas linguístico da Paraíba: neblina*

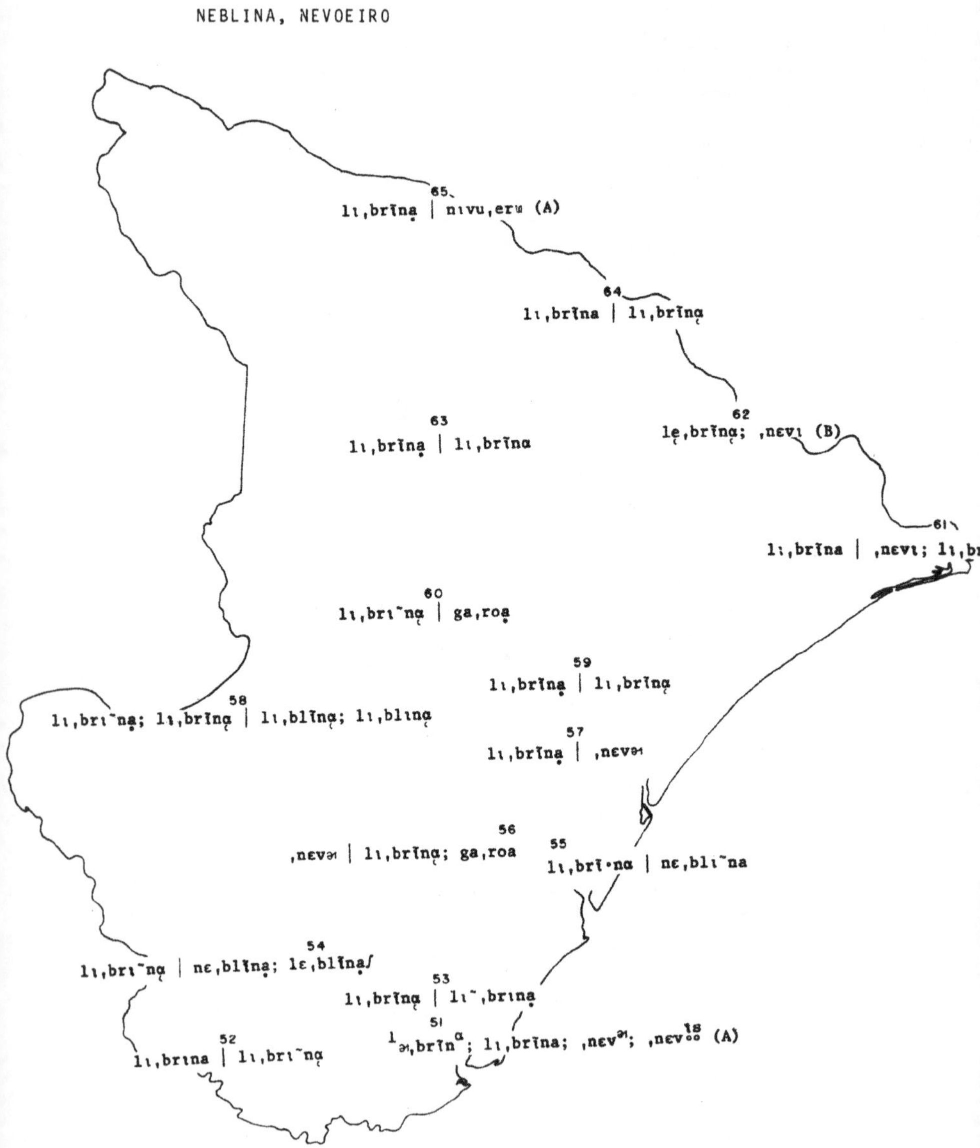

Fig. 15. Carta 12 do *Atlas linguístico de Sergipe: neblina, nevoeiro*

quatro regiões e ainda [e], apenas em Minas Gerais, sem que se possa chegar a traçar isófonas contínuas. Acontece que a forma analisada é passível do processo de harmonização vocálica devido à presença da vogal anterior alta [i] na sílaba tônica. Ainda podemos observar, para dar uma ideia do polimorfismo, a ocorrência de vogais labializadas, [u] e/ou [o], em formas como [lu'brîna], [nu'brîna] e [lo'brîna] (a última em Minas Gerais), provavelmente por influência da consoante labial subsequente.

Mais recentemente, segundo a teoria da variação laboviana, BISOL (1981) teve oportunidade de observar as variantes *e~ i* e *o~ u* da pauta pretônica em quatro comunidades sociolinguísticas diferenciadas do extremo sul do país, na fala popular e na fala culta. Dentre as conclusões a que chegou, destacamos as seguintes:

- as vogais *e* e *o* do sistema da escrita realizam-se quando pretônicas, ora como médias [e] e [o], ora como altas [i] e [u], ora como uma vogal de timbre intermediário não especificado, tanto na série anterior quanto na posterior;
- a mudança *o* → *u* e *e* → *i* é uma regra variável, condicionada por múltiplos fatores, o mais forte dos quais é a vogal alta da sílaba imediatamente seguinte (s*e*rv*i*ço, c*o*m*i*a, c*o*r*u*ja, p*e*r*i*go);
- a variação da pretônica não parece apresentar estigmatização social, pois ocorre na fala popular assim como na culta.

CALLOU & LEITE (1987), em estudo sobre essas mesmas pretônicas na fala culta do Rio de Janeiro e utilizando parte do *corpus* do Projeto NURC/RJ, confirmam alguns desses resultados. Mais do que medir a extensão da regra comumente conhecida como *harmonização vocálica*, isto é, a elevação das vogais médias pretônicas por assimilação à altura das vogais tônicas *i* ou *u*, têm como alvo as autoras um melhor conhecimento do sistema das vogais pretônicas falado por cariocas com formação universitária.

Em cerca de três mil ocorrências, verificaram-se, em geral, as seguintes possibilidades de pronúncia em posição pretônica:

1) vogais médias [e] e [o];

2) vogais altas [i] e [u];

3) vogais com timbre intermediário entre [e] e [i], [o] e [u];

4) vogais com timbre intermediário entre [e] e [ɛ], [o] e [ɔ] mais baixas, portanto, que [e] e [o];

5) vogais com timbre aberto [ɛ] e [ɔ]. Foram registradas essas ocorrências em casos que não podem ser explicados por derivação de uma raiz que contenha [ɛ] ou [ɔ] (propriamente, porcamente, cafezinho, belíssimo): objetos, Helena, verão, torrada, cobrado, oboé etc.

O abaixamento das vogais no contexto pretônico é pouco significativo, ao contrário do que ocorre no Nordeste do país, tal como relatado em MOTTA (1979) relativo a Ribeirópolis (SE), e MAIA (1986) relativo a Natal (RN).

A variedade de pronúncia no domínio do sistema pretônico leva-nos a crer que o condicionamento não se dá apenas no nível segmental ou de constituição da sílaba. Tudo parece indicar que fatores suprassegmentais (ritmo e velocidade de fala) estejam envolvidos.

Os fatores linguísticos que se revelaram mais favoráveis à elevação das vogais médias pretônicas foram:

— contexto inicial de palavra, seguido de sibilante: e*s*ta*n*te, escola (para vogal anterior);

— posição em hiato: am*ea*çou, pass*ea*ndo, d*oe*nça, m*oe*dor;

— vogal alta contígua: d*e*sf*i*le, f*o*rm*i*ga.

A classificação de base gerativa proposta por MATEUS (1975) para os fonemas do português (de Portugal) utiliza, para a construção da matriz fonológica, alguns traços fônicos propostos por Chomsky e Halle. São eles: [alto], [baixo], [recuado] e [arredondado]:

	i	e	ɛ	a	ɔ	o	u
alto	+	–	–	–	–	–	+
baixo	–	–	+	+	+	–	–
recuado	–	–	–	+	+	+	+
arredondado	–	–	–	–	+	+	+

Funcionaria, portanto, em sílaba tônica, um sistema de sete vogais tanto no Brasil como em Portugal. Outros autores, estruturalistas como LÜDTKE (1952-1953) e MORAES BARBOSA (1965) estabelecem oito fonemas vocálicos no português de Portugal, com base numa oposição entre /a/ e /ɑ/, levemente anterior e claro e o segundo posterior abafado, oposição essa que ocorreria nas terminações *-ámos* (pret. perf.) e *-âmos* (pres.). Esse sìstema quadrangular não é aceito por muitos já que o rendimento da oposição é mínimo e parece não justificar a proposta. Para a maioria, a diferença do vocalismo entre Brasil e Portugal reside basicamente nas posições átonas. O português de Portugal caracteriza-se por possuir um vocalismo átono muito débil, ao contrário do português do Brasil.

Na proposta de Mira Mateus, as vogais portuguesas podem ser definidas ainda pelos traços [soante], [silábico] e [consonântico]. Os traços [soante] e [consonântico] são redundantes, desde que se explicite [+ sil.]. O traço [silábico] substitui [vocálico] pelo fato de na nossa língua as vogais serem sempre o centro da sílaba.

Ao lado das vogais orais, temos em português vogais que são realizadas com ressonância nasal. Todos reconhecem que uma pronúncia nasalizada da vogal ocorre quando ela se encontra seguida de consoante nasal (ano, tema, cana etc.), principalmente em sílaba acentuada. Mas não se pode confundir esse caso com o da nasalidade em palavras tais como *lenda* (que se opõe a *Leda*), *junta* (que se opõe a *juta*); *cinto* (que se opõe a *cito*) etc. No primeiro caso, temos uma nasalidade puramente fonética e, no segundo, uma nasalização que se opõe distintivamente à não nasalização, de caráter fonológico, portanto.

Como a interpretação fonológica depende do material fonético, um dos problemas é que a nasalidade é um fenômeno de difícil identificação, uma vez que os diversos tipos de vogais são influenciados diferentemente pela nasalização. E mais ainda. O efeito auditivo da nasalização pode ser modificado pela ocorrência de outros fatores, tais como acento, certos tipos de fonação (sussurro, murmúrio etc.). Assim, também o efeito auditivo difere para os diversos segmentos.

Um dos primeiros trabalhos a tratar das vogais nasais no português do Brasil é o de NOBILING (1903) que diz haver diferentes graus de nasalidade, assim como admite que as vogais nasais são sempre seguidas de um outro som consonântico nasal. Tanto Nobiling como LACERDA & ROSSI (1958) enfatizam o fato de a nasalidade do português brasileiro ser mais forte que a do português europeu.

A interpretação das vogais nasais

A interpretação fonológica das vogais nasais em português tem sido sempre objeto de discussão por parte de linguistas. Confrontando os pares

mata / manta
seda / senda
lida / linda
boba / bomba
fuga / funga

resta-nos saber em que consiste a oposição existente entre as formas: 1) na presença em cada par de vogais diferentes (vogais orais *versus* vogais nasalizadas) ou 2) na presença no segundo elemento de cada par de um segmento fônico ausente no primeiro (vogal oral *versus* vogal oral + elemento consonântico nasal).

Na primeira hipótese, admitimos que as vogais nasais são entendidas como fonemas distintos das respectivas vogais não nasais, opondo-se a estas últimas pela qualidade de nasalidade. Esta seria a solução concreta, proposta por alguns estruturalistas.

Na segunda hipótese, as vogais nasais são interpretadas como variantes não distintas das suas correspondentes orais, resolvendo-se a questão em vogal seguida de arquifonema consonântico. Esta é a solução abstrata que no Brasil tem em Mattoso Câmara o seu maior defensor. Afirma ele que se deve procurar o traço distintivo na constituição da sílaba: a vogal nasal seria entendida como um grupo de dois fonemas que se combinam na sílaba (vogal + elemento consonântico nasal).

Segundo essa interpretação teríamos em nossa língua um tipo de sílaba travada por um elemento nasal, o arquifonema /N/ que se realizaria como [n] diante de consoante alveolar [lẽ^{n}da], como [m] diante de consoante labial [’kã^{m}pu], como [n] diante de consoante velar [’sã^{ŋ}gi] e ainda como [ɾ] diante de consoante palatal [’ga^{ɾ}šu]. Diante de pausa o elemento consonântico se reduziria a zero.

Para Mattoso Câmara, o argumento contra a existência fonológica da consoante nasal nesses casos, baseado no fato de que o falante e/ou ouvinte não percebe o elemento consonântico pós-vocálico, é antes um argumento de ordem psicológica que de ordem estrutural. Entende o autor que não se deve considerar com valor fonológico a vogal nasal numa língua como o português em que não existe o contraste entre vogal oral, vogal nasal, vogal oral + consoante nasal — do tipo do francês [’bo]/[’bõ]/[’bon], *beau, bon, bonne*, respectivamente. Para Lüdtke, que defende uma interpretação mais concreta, esse último argumento não seria válido para o português europeu, pelo menos, se pudermos admitir uma sequência do tipo [’vi]/[’vĩ]/[’vim], *vi, vim, vime*, respectivamente.

A nasalidade das vogais em posição final, em geral ditongadas, é considerada uma característica particular da língua portuguesa, ao lado do francês e do polonês, quer essa nasalidade seja interpretada como traço distintivo pertencente à vogal, quer como ressonância nasal provocada pela consoante nasal que a ela se segue. Convém acrescentar que a ditongação pode ocorrer também em sílabas não finais, havendo uma variação de pronúncia em palavras como ‘honra’, ‘vence’ etc., que podem ser realizadas foneticamente como vogais simples ou como ditongos: h[õw̃]ra, v[ẽỹ]ce — h[õ]ra, v[ẽ]ce.

Em favor de sua interpretação fonológica das vogais nasais apresenta Mattoso Câmara alguns argumentos de ordem distribucional que podem, por sua vez, ser reexaminados. São os seguintes:

a) a sílaba com a vogal dita nasal comporta-se como sílaba travada por consoante e quando final — seguida de palavra iniciada por vogal — não sofre crase, por exemplo, 'lã azul', 'jovem amigo' etc.

O segundo exemplo arrolado possibilita, no entanto, uma contração dos vocábulos, admitindo-se uma realização com ou sem nasalidade, ditongada ou não. As pronúncias [žɔvia'migu] ~ [žɔvya'migu] ~ [žɔvyã'migu] ~ [žɔva'migu] ~ [žɔvã'migu] seriam aceitáveis. Quando numa sequência o vocábulo seguinte começa também por consoante nasal podemos pressupor uma pronúncia contrata dos elementos em que a nasalidade da vogal se mantém, por exemplo, em 'recém-nascido': 'rec[ẽ]nascido'.

b) depois de vogal nasal só se realiza um *r* forte e nunca o brando, próprio de posição intervocálica.

Não podemos esquecer, porém, que em posição intervocálica o *r* forte também ocorre.

c) no interior do vocábulo, não há em português vogal nasal em hiato: ou a nasalidade desaparece como em 'boa' (face a 'bom') ou o elemento consonântico se desloca para a sílaba seguinte, como em 'valentona' (face a 'valentão').

O estudo diacrônico nos mostra que a tendência evolutiva da língua padrão foi a perda da nasalidade da vogal em hiato. No entanto, na fala popular, podemos encontrar ainda hoje exemplos de sua ocorrência. Tal fato está documentado na carta 1 do *Atlas prévio dos falares baianos* (APFB). A forma ['lũa] ocorre em onze pontos do Estado da Bahia, em homens e mulheres de áreas e faixas etárias diversas.

Embora, como procuramos mostrar, seja possível levantar algumas questões relativas à argumentação apresentada por aquele autor, não há dúvida de que com base na sua interpretação haveria em língua portuguesa sílabas travadas por um elemento consonântico nasal, como há sílabas travadas pelos arquifonemas /S/ ou /R/. A mesma explicação pode ser estendida aos ditongos nasais.

Na outra hipótese, a solução dada pelos estruturalistas concretistas é ampliar simplesmente o quadro vocálico para sete vogais orais e cinco nasais. Considera-se, nesse caso, cada uma das cinco vogais um fonema distinto da vogal oral correspondente, desprezando-se o elemento consonântico nasal que pode — ou não — ocorrer, mas que seria condicionado pela nasalidade da própria vogal e teria realizações fonéticas distintas a depender da consoante subsequente.

Esses trabalhos não levam em consideração o fato fonético — já assinalado por CAGLIARI (1977) num estudo experimental das vogais nasais na variante paulista — de o condicionamento do som consonântico de transição poder variar a depender da consoante que vem depois:

— quando a consoante que se segue é uma oclusiva ele pode ser condicionado tanto pela vogal precedente quanto pela consoante seguinte;

— quando a consoante é uma fricativa o som transicional é sempre determinado pela vogal, ocorrendo uma nasal palatal se a vogal for anterior ou uma nasal velar se a vogal for posterior.

Além disso, pode não ocorrer qualquer segmento. E mesmo quando ocorrem não são detectáveis pelo ouvido, uma vez que a duração desta consoante de travamento é de 20-50 milissegundos.

Cagliari assinala também uma realização não nasalizada da vogal seguida de um travamento consonântico. Assim, foneticamente, haveria as seguintes possibilidades:

'fiNka	['fĩŋka]	['fĩɲka]	[fiŋka]
'fuNdu	['fũŋdu]	['fundu]	[fũndu]
'koNʃa	['kõŋʃa]	['koŋʃa]	
'giNʃu	['gĩɲʃu]	['giɲʃu]	

Na própria gramática normativa (CUNHA, 1986), está implícita a interpretação de que não existe encontro consonantal em palavras como 'lindo', 'pombo' etc. O *n* e o *m* indicariam a nasalidade da vogal que o antecede, sendo equivalente a um *til*, como em 'lã'. Combinação de letras como *am, em, in, on* etc. serviriam apenas para representar as vogais nasais, devendo assim ser interpretadas como *dígrafos.*

Ainda sobre a interpretação fonológica das vogais nasais poderíamos dizer que numa abordagem gerativa, as duas soluções propostas antes são também possíveis. Visando a uma maior economia na representação lexical dos morfemas, simplicidade de aprendizagem etc., o ponto de vista mais abstrato dentro da fonologia gerativa interpreta a vogal nasal portuguesa como uma entidade fonética gerada por meio de regras(s) a partir de uma vogal oral seguida de consoante nasal. A(s) regra(s) fonológica(s) de nasalização, associada(s) à representação fonológica em que aparece a consoante nasal, refletiria(m) regularidade existente na língua, pois se espera que os falantes reconheçam como a mesma entidade linguística os morfemas que alternam com presença *versus* ausência da consoante nasal em 'lã' e 'lanígero', 'tom' e 'tonal', 'som' e 'sonoro', 'órfão' e 'orfanato' etc.

A primeira regra que podemos apreciar seria a de PERINI (1971) que pode ser assim lida: vogal torna-se nasal quando acentuada antes de consoante nasal ou, quando acentuada ou não, antes de consoante nasal seguida de consoante ou antes de consoante nasal em final de vocábulo.

$$\text{V} \rightarrow [+\text{ nasal}] \left\{ \begin{array}{ll} \underset{[+\text{ acento}]}{\underline{\qquad}} \; [+\text{ nasal}] & \\ & \\ \underline{\quad} \;\; \text{nasal} \; \begin{bmatrix} \text{C} \\ \# \end{bmatrix} & \end{array} \right\} \begin{array}{l} \textbf{cama} \\ \textbf{canto} \\ \\ \textbf{som} \end{array}$$

Essa regra daria conta da oposição existente em certos dialetos do português entre c[ã]*minha* ('cama pequena') e *c*[a]*minha* (3ª p. sing. pres. ind. de *caminhar*) por meio da aplicação cíclica das regras de acento e nasalização (cf. II.2). No primeiro caso haveria dois ciclos [##[#cam+a#]inh+a##] e no segundo apenas um [caminha].
N N N N N N

A regra de acentuação tornará tônico o *a* de 'cama' no primeiro ciclo, possibilitando assim a regra de nasalização, o que não ocorre no segundo caso.

Esses exemplos são apresentados também por PONTES (1972) para adotar a solução concreta de vogal oral *versus* vogal nasal, uma vez que existe o contraste entre elas (em posição pretônica) no mesmo ambiente de consoante nasal. Esse contraste fônico não ocorre, porém, em todos os falares brasileiros.

Ainda segundo Perini, quando a nasalização tem o acento como um fator, ísto é, quando decorre da aplicação da primeira parte da regra, a consoante nasal que a determina não cai. Assim é que essa consoante se conserva em palavras como 'cama', 'cana' etc., onde ocupa posição intervocálica, mas pode cair quando se encontra antes de outra consoante ou em posição final. A consoante nasal antes de outra consoante seria mais audível em sílaba acentuada do que em sílaba átona: ('mãnta], por exemplo, seria mais provável que [mãn'-te(y)ga].

Uma análise gerativa em que as vogais nasais são consideradas fonêmicas está contida em LEITE (1974). Sua argumentação baseia-se no reexame de propostas gerativistas sobre a formação de plural (cf. II.2), mostrando que a generalização que as regras visam a alcançar não se coaduna com a gramática internalizada pelos falantes nativos. Essa autora postula não só vogais nasais subjacentes como vogais nasais derivadas. Assim, sílabas terminadas em vogais nasalizadas como 'lã', 'fim', 'botão', 'minto', 'lâmpada' têm uma vogal nasal subjacente, e o travamento nasal que pode — ou não — ocorrer se deve à aplicação de uma regra facultativa meramente fonética.

Essa análise, pois, em lugar de admitir a nasalização da vogal nesses contextos como condicionada pela consoante nasal irá considerar a consoante nasal como condicionada pela vogal nasal. Essa consoante nasal seria, assim, o resultado da coordenação dos movimentos articulários na passagem de um som nasal a um não nasal. E é perfeitamente natural que haja uma zona de interseção entre os movimentos de elevação do véu palatino e o posicionamento da língua para a articulação da consoante seguinte. Isso explicaria também por que a consoante nasal é mais audível quando uma oclusiva segue a vogal do que quando se lhe segue uma contínua.

Já a nasalidade em palavras como c[ɑ̃]mara, c[ɑ̃]minha, l[ĩ]nha é produto de uma regra fonética geral: V → [+ nasal]/ — [+ nasal].

A diferença entre o dialeto que nasaliza a vogal em sílaba não acentuada se deve a uma regra específica desse dialeto que diz:

$$V \rightarrow [+\ \text{nasal}] / \underset{[+\ \text{acento}]}{\_\_\_\_\_\_} [+\ \text{nasal}]$$

Nenhuma das propostas até agora apresentadas dá conta integralmente de fatos comuns em falantes do português. Há alguns que nasalizam a vogal pretônica em palavras como *caminha* (verbo) e *caminha* (subst.) mas não a nasalizam em *flamengo, lamento, paramento, elemento* etc., nem tampouco os ditongos em *Roraima, Jaime, faina, fauna, trauma.* Por outro lado, há falantes que nasalizam os ditongos em *Jaime* e *Roraima* mas não os de *fauna* e *trauma.* Provavelmente, fenômenos como esses só serão totalmente explicados com a realização de estudos de fonética experimental mais acurados, pois o que se verifica é a possibilidade de uma nasalização do ditongo quando a assilábica é o [y] e sua impossibilidade quando é o [w].

3. As vogais assilábicas

As vogais mais altas das séries anterior e posterior podem ocupar posição de núcleo ou de margem da sílaba. Teríamos, assim, um [i] e [u] silábicos ou assilábicos [y] e [w]. Neste segundo caso têm-se os chamados ditongos ou tritongos que contrastam com vogais simples:

pá	pai	pau
lê	lei	leu
cá	cai	cal
má	mais	mau
só	sói	sol

Embora o português seja uma língua que se notabiliza por possuir ditongos e tritongos orais e nasais, ainda inexistem estudos mais aprofundados, quer fonéticos, quer fonológicos, sobre as vogais assilábicas.

É preciso, em primeiro lugar, distinguir entre as assilábicas que formam ditongos verdadeiros ('lei' e 'quase') daquelas que podem surgir em fronteiras silábicas pelo encontro de uma vogal [+ alta] com uma vogal [– alta]:['luwa] e ['gloriya]. Neste caso, a qualidade da vogal assilábica é previsível. O [y] ocorrerá depois de vogal anterior e o [w] depois de vogal posterior.

Pode-se dizer que é quase unânime a interpretação não fonêmica dessas vogais.

Quanto às assilábicas que ocorrem nos verdadeiros ditongos, existe uma possibilidade de serem interpretadas como fonemas distintos das correspondentes vogais silábicas. Esta foi a posição que defendeu durante algum tempo Mattoso Câmara, baseando-se nas oposições existentes nos pares:

coais	quais
voo	vou
Rio	riu
dê-os	Deus
soes(soar)	sois(ser)

O baixo rendimento dessas oposições e a própria redução do ditongo num exemplo como *vou* levaram-no a rever sua posição inicial.

Outra questão é saber se o ditongo será interpretado como sílaba aberta e neste caso o núcleo é *polifonemático* ou — por paralelismo com a distribuição de outras consoantes no mesmo contexto — como sílaba fechada, o [y] ou o [w] ocupando a posição de coda da sílaba.

Tradicionalmente, consideram-se os seguintes *ditongos decrescentes*:

ORAIS

aw	pau
ɛw	réu
iw	riu
ow	vou
ay	pai
ɛy	réis
ey	rei
oy	foi
ɔy	rói
uy	fui

NASAIS

ãw̃	mão
ãỹ	mãe
õỹ	põe
ũỹ	muito, (ruim)
ẽỹ	tem, ontem

O ditongo [ow] sofre em geral monotongação, mas pode ressurgir, como consequência do que se denomina normalmente de vocalização do [l], em final de sílaba (na maioria dos dialetos do português do Brasil): 'solteiro', 'colcha', 'soltar' etc.

Como resultado do mesmo processo, podemos acrescentar àquela lista os ditongos [ɔw] e [uw] em determinadas realizações dos vocábulos 'sol', 'sul' etc.

A supressão da semivogal é fenômeno antigo em nossa língua e ainda hoje constitui uma tendência do português. PAIVA (1986), estudando a supressão das semivogais nos ditongos decrescentes, dentro do modelo de análise da teoria da variação, analisa 2.111 exemplos do ditongo [ey] e 1.022 do ditongo [ow], tomados a informantes dos dois sexos, de quatro faixas etárias e de três níveis de escolaridade, não incluído o nível superior. Chega a autora à conclusão de que a monotongação de [ow] dá a esse processo o caráter de uma mudança praticamente concluída e a redução de [ey] está ligada a fatores relativos à composição da cadeia fonética, ponto e modo de articulação do segmento seguinte. Os segmentos mais favorecedores seriam: tepe, [š] e [ž].

Os chamados ditongos crescentes ocorrem com menor frequência — e são mais instáveis — sempre antecedidos de consoante velar [k] ou [g], em formas como *qual, igual, frequente, equestre, quinquênio, unguento, aguentar* etc. Os ditongos [wo] e [wu] que ocorrem em formas como *quotidiano* e *profícuo* sofrem normalmente redução. Numa forma como *circuito* é possível uma realização como ditongo decrescente [uy] (mais frequente) ou crescente [wi] (mais raro).

Encontros vocálicos em formas tais como *águia, história, luar, fiel, leal, glória, água, tênue, série* etc. podem ser pronunciados como ditongos ou hiatos, ou ainda como tritongos em *leões, leais*. Quando a vogal silábica e a assilábica são correspondentes, como em 'série', pode ocorrer redução. Fatores suprassegmentais como ritmo, velocidade de fala talvez sejam condicionantes dessa variação.

A diferença que a gramática estabelece graficamente entre as formas verbais do tipo *possui, influi* (3ª p. sing. pres. ind. 3ª conj.) e *acentue, flutue, continue* (1ª/3ª p. sing. pres. subj. 1ª conj.) não se justifica do ponto de vista fonético-fonológico. Os constantes erros de ortografia com a troca do *i* pelo *e* e do *e* pelo *i* são indicativos da não existência de um contraste fônico.

4. Variação fonológica e mudança

A linguagem, já dizia Saussure, é um fato social. Sabe-se hoje que a estrutura linguística é tão complexa quanto a estrutura social da comunidade em que ela funciona. As inter-relações entre a língua e a sociedade são muito complexas e na maior parte das vezes estaremos frente a frente com uma covariação de fenômenos linguísticos e sociais. Todas as variedades da linguagem estão sujeitas a mudanças e mesmo no dialeto rural mais isolado e conservador há elementos de diferenciação. Há muito pouco tempo é que se começou a despertar para uma concepção de língua como um instrumento de comunicação social, maleável e diversificada em todos os seus aspectos, meio de expressão entre indivíduos, em sociedades também diversificadas social, cultural e geograficamente. Nesse sentido, uma língua histórica não é um sistema linguístico unitário mas um conjunto de sistemas linguísticos, isto é, um diassistema, em que se inter-relacionam diversos sistemas e subsistemas. Em princípio, uma língua apresenta, pelo menos, três tipos de diferenças internas, que podem ser mais ou menos profundas: 1) diferenças no espaço geográfico ou *variação diatópica* (falares locais, variantes regionais e até intercontinentais); 2) variação entre as camadas socioculturais ou *variação diastrática* (nível culto, nível popular, língua padrão etc.) e 3) diferenças entre os tipos de modalidade expressiva (língua falada, língua escrita, literária, linguagem formal, coloquial, linguagens especiais, linguagem dos homens, das mulheres etc.).

Pelo fato de a linguagem como fenômeno social estar fortemente ligada à estrutura social e aos sistemas de valores da sociedade, diferentes dialetos e sotaques diversos são avaliados de forma distinta. A língua padrão, por exemplo, representa mais *status* e prestígio do que qualquer outra variante. Entretanto, a linguagem padrão vem a ser apenas uma variedade entre muitas, embora uma variedade particularmente importante, pois atua como uma das forças contrárias à variação. Não existe nenhum aspecto inerente nas variantes não padrão que as torne inferiores. Atitudes contra dialetos não padrão são atitudes que refletem a estrutura social da comunidade.

A língua não é um código simples, único, usado da mesma forma por todas as pessoas, em todas as situações. Embora reconhecendo que o sistema admite uma infinidade de realizações, uma língua não é uma soma de variações, senão uma integração.

Em qualquer descrição linguística deve-se levar em consideração a existência de formas alternativas cuja substituição parece não alterar o sentido. A variação ocorre em todos os níveis: fonético-fonológico, morfológico, sintático etc. A depender da perspectiva teórica é possível aceitar a premissa de que a variação é um fato acidental ou faz parte da natureza da própria língua. Segundo LAVANDERA (1984) podemos distinguir, pelo menos, três tratamentos diferentes da variação linguística: a) *variação livre* (nem condicionada nem significativa); b) *variação pertinente*, externamente condicionada; e c) *variação significativa* (refletindo uma eleição funcional por parte do falante dirigida a servir a seus propósitos comunicativos).

As variações fonológicas têm recebido preferencialmente a atenção dos linguistas.

O estudo da variação está relacionado ao estudo da mudança linguística, pois mudança implica variação, embora a recíproca não seja verdadeira. Atualmente, a mudança linguística não é interpretada da mesma forma que entre os neogramáticos. Para estes, a mudança linguística baseava-se no princípio da regularidade da mudança fônica (*lei fonética*) e na aceitação do fato de que as condições que governam a mudança fônica são puramente fonéticas. Os neogramáticos preocupavam-se com o aspecto sintagmático da comparação histórica e só com o estruturalismo surgiu a preocupação com o aspecto paradigmático. A fonologia estruturalista diacrônica passou a observar as mudanças dos sons em função dos sistemas de que faziam parte.

Nem todas as mudanças fônicas produzidas na fala conduzem necessariamente a uma transformação fonológica. A mudança pode chegar — ou não — a alterar o sistema linguístico. O sistema muda quando variantes, alofones, se tornam fonemas e há então o que, na fonologia estrutural, se chama *fonologização*, enquanto a *desfonologização* ocorre quando deixa de haver uma oposição antes existente. Por outro lado, o inventário de fonemas pode não ser alterado, mas a relação entre eles passa a ser de natureza diversa: é o caso da *transfonologização.*

Fatores internos e externos são responsáveis por essas mudanças. O modelo gerativo vai observar a mudança fonológica a partir de uma fonologia não autônoma, isto é, desvinculada do nível gramatical. Teremos então regras fonológicas que derivam de formas subjacentes às representações fonéticas da frase. O estruturalismo preocupa-se mais com as formas do que com as regras. A teoria gerativa é considerada capaz de fazer generalização significativa sobre a estrutura de uma língua específica e sobre a língua em geral, tanto na perspectiva sincrônica quanto na diacrônica.

Voltemos aos neogramáticos. Para eles, o desenvolvimento da língua era regido por leis, baseando-se em dois princípios fundamentais: a mudança fônica e a analogia, que operariam no nível fonológico e no nível gramatical, respectivamente. As leis fonéticas eram comparáveis às leis da física e da química e só mais tarde, com a geografia linguística, foi possível demonstrar a arbitrariedade dessa conceituação. O método de geografia linguística, apesar de tudo, não representa uma oposição tão radical à ideologia neogramática: ele não modifica aquilo que os neogramáticos haviam comprovado como fato histórico, mas proporciona uma nova visão dos próprios fatos, além de contribuir para modificar sua interpretação. O princípio neogramático não é destruído e sim transformado de físico em histórico. A finalidade da geografia linguística é reconstituir a história das palavras, das flexões etc., a partir da distribuição das formas e tipos atuais. Para os neogramáticos, a mudança fônica afetava a fala de uma comunidade inteira de maneira uniforme.

A geografia linguística, além do comparativismo sincrônico, permite-nos reconstituir algumas fases anteriores da língua e entender melhor a variação dialetal.

Até há relativamente pouco tempo a variação não era sistematicamente estudada, mas essa variação na fala de uma comunidade vem a ser fundamental no mecanismo de mudança linguística. Isto não significa, como já vimos, que toda variação implique mudança. A pesquisa sociolinguística veio demonstrar que a distribuição de variantes não ocorre aleatoriamente e está condicionada a fatores sociais. Este tipo de análise fonológica era incompatível com a fonêmica tradicional e o linguista William Labov, no começo da década de 1960, veio a pressupor, como os fonólogos gerativistas, uma distinção entre a representação subjacente e a superficial, embora de forma distinta na sua concepção teórica. A fonologia gerativa justifica um fonema sistemático na base de uma alternância morfológica (mar → mar e guerra), enquanto a análise sociolinguística postula uma variável fonológica na base da variação fonológica de uma comunidade. Cada modelo concebe que as realizações de uma unidade subjacente são governadas por regras fonológicas mas, para Labov, as *regras* são *variáveis*. Ele introduziu o conceito de regras variáveis, distintas das *regras obrigatórias*. Esse método permite avaliar a tendência de cada um dos falantes — e do grupo de falantes — no uso de uma ou outra variante. O princípio básico de variação é assinalar não apenas cada ocorrência de uma determinada variante, mas também o número de vezes em que esta poderia ocorrer, mas não ocorreu. Como acentuam WEINREICH, LABOV & HERZOG (1968), toda forma variável faz parte de um conjunto de formas alternativas de dizer a mesma coisa. Nem toda variação e heterogeneidade na estrutura linguística envolve uma mudança, embora toda mudança envolva variação e não homogeneidade. A mudança linguística tem início quando ocorre a generalização de uma forma particular dentro de um determinado subgrupo de uma comunidade linguística. Numa perspectiva sincrônica, o uso diferenciado das variantes em função da idade constitui um indício de mudança linguística. A generalização de uma mudança não é, por outro lado, uniforme ou instantânea, implica covariação de formas alternativas durante um longo período de tempo.

A esta altura, convém deixar claro o que se entende por *variante* e *variável*. Variantes são formas diferentes de dizer a mesma coisa, num mesmo contexto, sem alteração básica de sentido. Variável pode ser definida como um conjunto de variantes dentro da estrutura linguística. Mas não todo conjunto de variantes. As realizações [tš] e [t], por exemplo, que ocorrem, respectivamente, diante de [i] e diante de todas as outras vogais, em certos dialetos do português, não constituem variáveis, pois ocorrem em contextos diversos. Não se trata, pois, do que se convencionou chamar variação linguística: são variantes condicionadas do mesmo fonema /t/.

A fim de estudar aspectos sincrônicos e diacrônicos simultaneamente, a dimensão temporal tem que ser subdividida. Deve-se fazer uma distinção entre *tempo real* e *tempo aparente*. Tempo real refere-se a desenvolvimentos na evolução linguística num período arbitrário de tempo. Relaciona-se, portanto, a condições *através do tempo*, isto é, ao aspecto diacrônico. Tempo aparente refere-se ao padrão de distribuição do comportamento linguístico através de vários grupos etários num determinado momento do tempo. Relaciona-se a considerações *no tempo*, isto é, ao aspecto sincrônico. A duração e a identificação de uma mudança linguística parece estar correlacionada à distribuição de formas em diferentes faixas etárias, permitindo assim uma interpretação dinâmica de fatos sincrônicos. CALLOU (1987), utilizando um *corpus* de 36 horas de gravação de fala espontânea (*corpus* do Projeto NURC), conseguiu mostrar a mudança de norma de pronúncia do 'R', a partir da variável idade. A evidência na distribuição dessa variável permitiu inferir uma mudança — e não apenas uma variação — e mostrar a transição entre a 'antiga' e a 'nova' forma de pronúncia. Quanto mais jovem o locutor, maior probabilidade de ocorrerem as variantes mais inovadoras. Com base em um tratamento quantitativo (computacional), pôde a autora observar a mudança em curso, a partir dos seguintes resultados de ocorrência de realizações fricativas (V.III.1):

FAIXA ETÁRIA		CONTEXTO					
		Intervoc.		Inicial		Pré-Cons.	
		Prob.	Freq.	Prob.	Freq.	Prob.	Freq.
1.	25 - 35	.893	98.91%	.665	95.27%	.730	97.07%
2.	36 - 50	.339	87.50%	.606	90.30%	.545	93.68%
3.	51 - 70	.190	75.41%	.247	74.47%	.233	79.44%

Conforme já vimos no capítulo sobre a interpretação da vìbrante, as variantes fricativas apresentam o índice mais alto de ocorrência. A variação e a consequente mudança fonológica, pelo menos a que se refere à mudança do ponto de articulação de anterior para posterior, parece representar uma tendência universal.

As mudanças fônicas são lentas e graduais e têm sua origem num sujeito falante, num grupo social etc., até que se generalizam e se estendem a toda a comunidade, embora só se generalizem aquelas que são admitidas pela língua em sua exigência de intercomunicação. A língua se adapta às necessidades expressivas dos falantes e é a alteração da língua que lhe dá continuidade histórica. Algumas vezes as modificações fônicas se favorecem do próprio sistema, que tende a diferençar o maior número possível de fonemas com um mínimo de propriedades distintivas, tende a estabelecer correlações e eliminar oposições isoladas. Há uma luta constante entre conservação e inovação, o que explica as mudanças e os conservadorismos linguísticos.

No que se refere ao 'R', as mudanças ocorridas parecem ter tido início em falantes do sexo feminino (CALLOU 1987), o que só vem confirmar o que já dizia Louis Gauchat, em 1899. Ao estudar a localidade de Charmey, na Suíça, verificou que seis variáveis fonéticas estavam em plena mudança e que eram as mulheres que levavam mais adiante as mudanças: elas estavam uma geração à frente dos homens.

Ao observar o processo de mudança linguística é impossível tirar conclusões definitivas, a partir do exame de regras que relacionam gramáticas sucessivas — muitas vezes separadas umas das outras por séculos. O estudo documentado de mudanças em curso, tal como foi feito para o 'R', permite uma melhor percepção da maneira como a mudança ocorre na fala de uma comunidade e não há razão para supor que o processo observado hoje deva ter sido muito diferente no passado. O que não podemos é recuperar as variações que ocorreram séculos atrás antes de se generalizarem determinadas mudanças.

Tudo isso ainda nos diz muito pouco sobre a origem das mudanças, mas podemos afirmar que a heterogeneidade linguística é em si mesma uma fonte de mudança e, pelo menos do ponto de vista fonológico, é provável que haja uma motivação social. A maior parte das variáveis fonológicas não tem significado diverso no nível referencial mas podem tê-lo no nível social. Não sabemos, entretanto, por que uma mudança se dá numa determinada época e não em outra e se a mudança linguística representa uma evolução, um aperfeiçoamento do sistema de comunicação.

A maioria dos trabalhos tradicionais sobre a mudança na língua baseia-se em documentos que refletem a língua escrita, não podendo, portanto, trazer detalhes fonéticos. Na melhor das hipóteses, podemos ter indicações sobre a língua falada através de textos em verso de diferentes épocas: com base no estudo da rima será possível deduzir se uma vogal era aberta ou fechada. Por outro lado, os dialetólogos vêm estudando há muito tempo a variação dialetal, através da língua falada, apresentando esses dados em atlas linguísticos e/ou monografias dialetais.

Pode-se assinalar, finalmente, que uma língua varia, se modifica, porque variam e se modificam as condições sociais de sua utilização.

IV

O estado atual das pesquisas em fonética e fonologia no Brasil

1. AS PESQUISAS EM FONÉTICA

As pesquisas em fonética experimental tiveram início no Brasil em 1957, com a criação e instalação do Laboratório de Fonética da Universidade Federal da Bahia. Fundado em moldes similares ao do Laboratório de Fonética Experimental da Universidade de Coimbra, contou em sua fase inicial com a supervisão do foneticista português Armando de Lacerda. Funcionou desde a sua criação até 1962 sob a direção do professor Nelson Rossi, encontrando-se desde então desativado.

Sua concepção original seguia todos os requisitos internacionais de laboratórios dessa natureza, contando com cinco dependências, todas providas de condicionamento acústico: a) câmara de captação microfônica para tomadas e registro do som; b) sala de medição e confecção de gráficos destinados à publicação; c) arquivo sonoro e sala dos trabalhos de direção; d) sala de cromografia, com diversos equipamentos para investigação, mesas para exame e classificação de registros sonoros e gráficos; e) sala para aulas e demonstrações.

Como material de investigação dispunha de registradores de som, um eletrocromógrafo de projeção horizontal e de aparelhos para análise de gráficos (triângulo tonométrico de Lacerda para determinação da linha e dos níveis tonais e mesa tonométrica para conjugação com o triângulo tonométrico).

Alguns resultados desse trabalho experimental estão contidos em LACERDA & ROSSI (1958). Foi iniciado um estudo sobre o vocalismo do dialeto baiano que, por várias razões, não chegou a seu término.

Uma das grandes funções desse laboratório foi a de permitir aos estudantes um treinamento auditivo cuidadoso através de exercícios de transcrição fonética rigorosamente graduados, impossível de fazer-se fora de um laboratório. As transcrições constantes nas cartas dos atlas linguísticos da Bahia (1963) e de Sergipe (1987) demonstram o rigor e acuidade alcançados.

Tem-se notícia de outras tentativas de laboratórios experimentais. NASCENTES (1961) menciona resultados práticos de um laboratório existente naquela mesma época em São Paulo, mas nada se sabe concretamente a respeito. Atualmente, no Instituto de Estudos da Linguagem da Universidade Estadual de Campinas (UNICAMP), funciona um laboratório experimental que conta basicamente com 1) um espectógrafo VOICEPRINT, modelo 700, que permite a análise espectográfica em faixa larga e estreita; 2) um segmentador eletrônico de gravações e 3) um gravador Crown com *loop* para 2.4 seg. O aparelho permite a expansão da escala de frequência, produz registros da intensidade sonora e secções espectográficas controladas pelo segmentador, faz gravação direta através de microfone ou análise diretamente através de fitas já gravadas.

Um resultado concreto da utitização desse laboratório é o trabalho de SOARES (1983), sobre as vogais do tikuna.

Na Universidade Federal de Santa Catarina, algumas experiências estão sendo feitas em conjunto com o Laboratório de Vibração e Acústica, que conta com modelos computadorizados de análise (ANGENOT & ISTRE, 1985).

Não obstante, as pesquisas experimentais são muito incipientes em nosso país e as tentativas de montagens de laboratórios na maioria das vezes malogram. A aparelhagem utilizada é sensível, quase toda importada, exige uma manutenção constante e sistemática, além de uma assistência especializada. Uma das características da universidade brasileira é a falta de verbas, muitas vezes insuficientes para cobrir até mesmo a despesa orçamentária com pessoal. Verbas sempre faltam e, quando as há, são distribuídas sem um calendário fixo e predeterminado. Uma aparelhagem eletrônica de alta sensibilidade não pode ficar parada por longo tempo, não podendo estar sujeita a essa instabilidade. Por outro lado, o pesquisador que quiser se dedicar a esse tipo de pesquisa terá de lutar com tantos entraves que se tornará inviável um trabalho contínuo.

É bom lembrar que o arcabouço conceitual da moderna fonologia apoia-se muito em trabalhos experimentais sobre produção e percepção dos sons. Explica-se, assim, por que as pesquisas contemporâneas sobre fonética tenham sido feitas, como dissertações de mestrado e teses de doutorado, fora do Brasil, especialmente na França e na Inglaterra. Entre esses casos, podemos citar os de CAGLIARI (1977), MATTA MACHADO (1981), MORAES, 1984), PAGEL (1981).

Quanto à fonética articulatória, seu desenvolvimento entre nós ressentiu-se do reducionismo fonêmico próprio do estruturalismo americano, que teve muito sucesso no país nas décadas de 60 e 70. Os grandes trabalhos em fonética articulatória continuam sendo os dos velhos mestres, notadamente Gonçalves Viana.

2. As pesquisas em fonologia

O trabalho clássico de fonologia portuguesa no Brasil é o de Câmara Jr. (1953), que adota a perspectiva do Círculo Linguístico de Praga (cf. II.2 e III).

Antes de Mattoso Câmara, alguns pesquisadores estrangeiros fizeram incursões sobre os fonemas do português do Brasil (Hall, 1943; Reed & Leite, 1947, entre outros). Mas é a análise daquele estudioso que virá a levantar os problemas que serão examinados mais tarde por outros especialistas. No capítulo III algumas soluções controversas foram examinadas como, por exemplo, a nasalização das vogais.

Com a institucionalização dos cursos de pós-graduação em Letras e Linguística no Brasil, houve uma produção maior e mais diversificada de trabalhos sobre fonologia. Nas décadas de 60 e 70, o modelo mais difundido foi o da fonêmica estruturalista norte-americana, cujo objetivo era descrever integralmente determinado dialeto.

As análises fonológicas que existem numa abordagem descritiva se encontram geralmente ou em monografias que tratam de dialetos regionais e sociais (Rodrigues, 1974) ou representam apenas um primeiro nível descritivo, indispensável para o estudo do nível seguinte. Assim é que Pontes (1972) depreende os fonemas do falar carioca como uma primeira etapa para o estabelecimento de morfofonemas, visando ao estudo da estrutura do verbo no português coloquial. Seu trabalho constitui um excelente exemplo do modelo estruturalista norte-americano, que advogava uma separação rígida dos níveis de descrição gramatical.

O trabalho mais completo que se tem, numa abordagem gerativa, é o de Maria Helena Mira Mateus, que trata do português de Portugal. No Brasil, privilegiou-se o estudo de certos aspectos que servissem para confirmar ou infirmar a validade da teoria (Leite, 1974; Gnerre, 1983).

A maior parte da produção desse período são teses de mestrado e doutorado, inéditas, e o que se tem, em grande parte, são comunicações a congressos. Temas como a nasalização das vogais, formação de ditongos e tritongos, acento, juntura vocabular etc. são alguns dos mais privilegiados. Alguns tópicos, por exemplo, sândi externo em português, suscitam debates dos mais interessantes (LIBERATO, 1978; SIMÕES, 1981; SOUZA, 1983). No momento atual, verifica-se também uma volta ao exame descritivo do português falado no Brasil, segundo orientações teóricas diversas, exame esse feito através do enfoque de um tema. Assim é que MOTTA (1979) estuda as vogais pretônicas numa localidade de Sergipe, à luz da teoria gerativa natural, enquanto BISOL (1981) trata do mesmo tema para o Rio Grande do Sul, segundo a teoria da variação laboviana.

Nota-se ainda uma preocupação de referendar esses estudos com o suporte da fonética experimental. Em Bisol, o capítulo 3 é dedicado à detecção das impressões acústicas e auditivas para uma caracterização dos aspectos sincrônicos e diacrônicos da variação da vogal pretônica.

A penetração muito recente da fonologia natural vem exigindo um esforço maior de comunicação entre fonólogos e foneticistas, pois a explicação da naturalidade de processos sintagmáticos (cf. II.2) exige muitas vezes um instrumental mais refinado, sendo indispensável o auxílio de analisadores eletrônicos.

Os modelos atuais em linguística usam para validação de processos e teorias dados da mudança histórica. A visão da mudança fonológica como uma mudança nos sistemas das diferentes épocas não encontrou eco entre nós. Recentemente, há um ressurgimento de interesse pelo estudo da mudança linguística determinado pela difusão da teoria laboviana (cf. III.4).

Como na teoria natural também está imbuída uma teoria de mudança sonora, espera-se que os trabalhos sobre fonologia do português do Brasil possam num futuro — não muito remoto — conjugar todos esses aspectos fonéticos e fonológicos, sincrônicos e diacrônicos.

V

Domínio da fonética e fonologia: duas aplicações

1. ESTILÍSTICA FÔNICA

O mecanismo da linguagem humana baseia-se na relação entre um conteúdo (significado) e uma expressão (significante) reunidos na função do signo linguístico. Há algum tempo admitia-se que a linguagem humana era inteiramente arbitrária ou inteiramente simbólica. Hoje essa visão unilateral está superada: sabe-se que a linguagem humana não é inteiramente arbitrária nem inteiramente simbólica (motivada) e é somente assim que ela pode cumprir sua tarefa comunicativa.

Ao dizer que o signo é arbitrário, convencional ou imotivado — embora socialmente válido — não pensava Saussure senão na natureza hereditária da linguagem humana. Somente os signos têm um conteúdo, os fonemas não, os prosodemas tampouco. A função dos fonemas é diferençar signos e não há uma relação necessária entre a natureza das coisas e a dos sons que as designam.

A fonética pode ser definida como a ciência da expressão linguística e do ponto de vista da linguagem expressiva há a possibilidade de criar-se uma correspondência entre o som linguístico e as modalidades dos movimentos articulatórios que o produzem. Pode-se dizer, assim, que existem algumas relações que guardam entre si o expressado e sua expressão (significado e significante). A fisionomia acústica de certas palavras, a sua composição fônica pode, muitas vezes, realçar seu sentido.

Uma discussão de inúmeros problemas relativos à motivação de certas expressões linguísticas nos levaria muito longe. As línguas são essencialmente compostas de elementos fônicos vazios, mas já Saussure colocava as *onomatopeias* como exceções a essa regra. Não se pode, contudo, esquecer que mesmo as onomatopeias representam estruturas linguísticas que funcionam de acordo com regras válidas para a língua em questão.

Partindo desses pressupostos, a *estilística*, enquanto ciência da linguagem expressiva, comporta um capítulo correspondente à *estilística fônica* — também denominada *fonética expressiva*. A estilística fônica implica a utilização de traços que escapam à sistematização das oposições e correlações de fonemas e grupos fônicos: acento vocabular, quantidade, altura etc.

Uma estilística dos sons vocais tinha sido prevista pelo Círculo Linguístico de Praga, embora Turbetzkoy lhe tenha reservado apenas algumas linhas nos seus fundamentos da fonologia, principalmente com a finalidade de mostrar a conveniência de não incluir no conceito de fonema os seus traços expressivos.

Não se atribui nenhum valor semântico próprio aos elementos fônicos. Entretanto, esses elementos podem, em se tratando de formas de natureza imitativa (onomatopeia) e de natureza expressiva (alongamento, intensidade, repetição de fatos melódicos), traduzir um valor próprio e especial. A impressão de uma onomatopeia é complexa, raramente traduz uma impressão absolutamente simples e os diversos elementos que concorrem na sua produção combinam-se entre si, atuando uns sobre os outros, como veremos adiante.

Esses aspectos expressivos e imitativos podem ser observados na fala usual e sobretudo na poesia, que representa, na verdade, um emprego sistemático de fatos fonológicos. Numa frase em prosa, a composição fônica é determinada única ou essencialmente pela escolha dos morfemas desejados. Por outro lado, todo enunciado poético comporta elementos rítmicos.

Há traços fonéticos que embora não sistematicamente usados nas oposições são frequentemente observados numa classificação dos sons. O critério acústico, por exemplo, tem sido levado a refletir sobre a impressão auditiva que tende a despertar um fonema. Alguns linguistas, na tentativa de apreender o valor expressivo dos sons, calcados numa impressão auditiva — que muitas vezes não se justifica do ponto de vista acústico — fizeram algumas observações sobre a forma como vogais e consoantes impressionam diversamente o nosso ouvido. Os antigos gramáticos já tinham feito isso ao adotarem as denominações de *sibilante, chiante, vibrante, rolado, líquida, aspirado* etc. Foi considerando essa impressão auditiva que Quintiliano definira o /m/ como *littera mugiens* e os romanos, segundo FARIA (1933), consideravam o /r/ *littera canina* (o seu som lembrava o rosnar de um cão). É comum encontrarmos observações do tipo: as dentais são estridentes; as labiais e posteriores são abafadas; as vogais que têm o seu ponto de articulação na parte anterior do palato são claras, as que são mais fechadas (*i* e *u*) podem ser consideradas agudas (são próprias para exprimir ruídos agudos); as que se pronunciam sobre a parte média do palato são vogais graves; as vogais *o* e *u* são sombrias, *a*, ɛ e ɔ são brilhantes; as nasais são veladas; consoantes oclusivas são explosivas (batem no ar de um golpe seco), as sonoras menos que as surdas; a líquida *l* dá ideia de limpidez, fluidez; a vibrante é pronunciada com um rolamento mais ou menos nítido e forte; seguida de vogal clara assemelha-se a um ranger de dentes; seguida de vogal grave exprime um ronco, um estrondo; e assim por diante.

Convém assinalar que a impressão provocada por esses sons não é realmente audível, mas há uma espécie de ilusão devido a uma série de traduções e associações às quais estamos habituados. Nem sempre pode haver um acordo sobre a qualidade da impressão auditiva, pois há sempre uma base individual, mais ou menos subjetiva, que é a do estilo. Na sua motivação sonora, o vocábulo acrescenta à sua significação representativa uma significação estilística.

Um estudo dessa natureza ficaria vago e precário se se circunscrevesse aos fonemas isolados. Como já afirmava GRAMMONT (1933), é necessário que a acepção da palavra em que se acham inseridos os segmentos fônicos favoreça o efeito que está latente em cada um. Poderíamos dizer que nem sempre há uma motivação sonora, mas quase sempre existe um conteúdo estilístico, determinado pelos sons constitutivos do vocábulo.

Poder-se-ia ilustrar melhor a ocorrência desses recursos expressivos no plano fônico com o comentário do texto

REGIME

Millôr Fernandes

Parlamentar,
Pra lamentar,
Pra ralentar
Pra elementar
Pra amamentar
Pra arrebentar
Ou pra militar?

(*Veja*, 27/05/81)

O texto compõe-se de uma estrofe de sete versos, os dois primeiros tetrassílabos (4 sílabas métricas) e o último pentassílabo (5 sílabas métricas), admitindo-se a seguinte leitura:

1 Par / la / men / tár
1 2 3 4

2 Pra / la / men / tár
1 2 3 4

3 Pra / ra / len / tár
1 2 3 4

4 Prae / le / men / tár
1 2 3 4

5 Praa / ma / men / tár
1 2 3 4

6 Praa / rre / ben / tár
1 2 3 4

7 Ou / pra / mi / li / tár?
1 2 3 4 5

No quinto e sexto versos ocorre crase (pra + a ← pra), processo que implica a fusão de dois sons idênticos, formando uma única sílaba métrica. No quarto verso podemos admitir duas leituras: 1) a primeira vogal do segundo vocábulo pode perder a sua autonomia silábica e tornar-se uma semivogal, passando a formar sílaba com a vogal antecedente — *pra + e +* ← *pray* ou 2) a primeira vogal do primeiro vocábulo pode desaparecer diante de vogal de natureza diversa — *pra + e* ← *pre*.

O quarto verso, tendo em vista as possíveis leituras,

Prae / le / men / tar ← sinalefa
Pre / le / men / tar ← elisão

é responsável pela coesão, pois, se por um lado — no eixo vertical — ele se sintoniza com os versos cuja primeira vogal é sempre *a*, ele também se sintoniza — no eixo horizontal — com a singularidade concernente à natureza formal do vocábulo *elementar*. Este termo, que se encontra no verso central, vai desencadear a ambiguidade que se vai cristalizar no último verso, tendo como núcleo o signo militar, com as possíveis leituras: verbo/adjetivo/substantivo.

Os versos são monorrimos, terminam pela mesma consonância (nos cinco primeiros versos há uma correspondência sonora desde a vogal nasal da penúltima sílaba) e têm acentuação apenas na última sílaba, com exceção do último, o pentassílabo ou redondilha menor, que apresenta acentuação na primeira e na quinta sílaba.

A ocorrência de um só tipo de rima poderia nos levar a classificá-la como pobre. Contudo, a ambiguidade, como traço constante do texto, orienta para o esvaziamento dessa possibilidade de classificação, principalmente levando em conta que os termos que se articulam para compor a rima não pertencem à mesma classe gramatical: são nomes e/ou verbos.

Trata-se de um texto de 'humor' e os fonemas (vogais e consoantes) atuam na sua estruturação respondendo nesse jogo ao efeito desejado, acumulando-se nos versos os segmentos fônicos mais relevantes para projetar auditivamente a ideia a exprimir.

Pode-se observar que o texto é onomatopaico, construído — como podemos ver da sua leitura acima — a partir dos mesmos segmentos fônicos: obstruintes oclusivos surdos — [p], no início da primeira sílaba dos seis primeiros versos, [t], no início da última sílaba — que se repetem sucessivamente fazendo com que a sequência sonora evoque o ruído de uma metralhadora. A primeira consoante vem sempre seguida de *r*, o que lhe acrescenta o traço de continuidade.

[pr] ... [t]
[pr] ... [t]
. .
. .
. .
[pr] ... [t]

Nas sílabas mediais aparecem as consoantes sonoras líquidas [l] e [r] e a nasal [m]. Só no penúltimo verso, na penúltima sílaba, ocorre um [b] explosivo que possui em comum com a nasal o traço de labialidade e com ela e todas as outras o traço de sonoridade. Se compararmos a penúltima sílaba dos seis primeiros versos podemos observar

— m e n —
— m e n —
— l e n —
— m e n —
— m e n —
— b e n —

uma rima interna quase perfeita com a presença da mesma vogal nasal como centro da sílaba, precedida de consoantes que possuem uma comunidade parcial de traços.

As vogais nos seis primeiros versos são sempre [– arredondadas], a central baixa [a], básica, que se repete na cadeia fônica, [e] e [ẽ]. A vogal [+ alta], [i], que se encontra no título e na última palavra do texto modifica o ritmo sonoro e reúne pela sua semelhança fônica os dois vocábulos significativos *regime* e *militar*. No último verso aparece ainda a vogal [o(w)] — logo no início e para fazer a oposição — e há uma quebra na organização da estrofe em versos de uma só medida: é o único que apresenta cinco sílabas métricas, fazendo com que se destaque também pela forma dos demais.

título			[e] ...	[i] ...	[i]
verso 1		[a] ...	[a] ...	[ẽ] ...	[á]
verso 2		[a] ...	[a] ...	[ẽ] ...	[á]
verso 3		[a] ...	[a] ...	[ẽ] ...	[á]
verso 4		[ay] ...	[e] ...	[ẽ] ...	[á]
		[e]			
verso 5		[a] ...	[a] ...	[ẽ] ...	[á]
verso 6		[a] ...	[e] ...	[ẽ] ...	[á]
verso 7	[o(w)]...	[a] ...	[i] ...	[i] ...	[á]

A indagação constitui-se em mais um elemento de coesão do texto e, por conseguinte, de unidade significativa. Essa indagação acionada pela vogal alta no título (*Regime*) é retomada com uma mudança de entonação (curva ascendente) — característica da frase interrogativa — apenas no último verso (*Ou pra militar?*).

Convém atentar para o cavalgamento, recurso estilístico que se processa a partir do título numa relação intensa com os seis primeiros versos e bem mais projetado na relação penúltimo/último verso, tendo como elo o vocábulo *ou*, elemento de oposição marcante na expressão do *enjambement*, para 'fechar' o texto mas também 'abrir' na dimensão do conteúdo indagativo. *Regime* e *militar* são termos que se investem de ambiguidade e dinamismo, compondo, assim, o eixo restrição/ampliação.

Cabem ainda outras observações. Do primeiro verso para o segundo há a utilização dos mesmos fonemas, embora agrupados diferentemente em vocábulos distintos (com a troca de posição de dois fonemas na primeira sílaba). No primeiro verso assinalamos um só vocábulo mórfico e um só vocábulo fonológico (*parlamentar*) e no segundo, com a metátese na primeira sílaba, ([par-] → [pra]) há a formação de dois vocábulos mórficos (um só fonológico):

par/la/men/tar
pra/la/men/tar
.
.
.

Ressalta-se nesse jogo fônico o conteúdo significativo das formas. Há uma substituição, nos versos seguintes, das primeiras sílabas do segundo vocábulo mórfico, como se o texto pudesse ser desmontado como num quebra-cabeça em que se vão substituindo as peças, cada vocábulo atribuindo valores semânticos novos ao texto.

Finalmente, vale ressaltar que cada verso termina sempre em */-r/* e a sua repetição isoladamente

-[r]
-[r]
.
.
-[r]

pode sugerir o ruído de uma gargalhada, correspondendo, através dessa estratégia, a um efeito de comicidade e ironia. Haveria, assim, uma motivação sonora que justificaria do ponto de vista estilístico a rima.

Gostaria de assinalar que a leitura feita do texto de Millôr Fernandes, uma entre muitas e ainda que incompleta, levanta apenas alguns recursos estilísticos explorados no plano do valor expressivo e impressivo dos sons. A composição fônica de um vocábulo faz realçar muitas vezes seu sentido, mas a acepção da palavra em que os sons se acham inseridos pode favorecer o efeito desejado. Há sons expressivos e palavras expressivas que podem se articular numa estrutura maior para compor um texto de valor altamente expressivo: *Regime*.

2. ALFABETIZAÇÃO

A aprendizagem de uma língua é um processso contínuo que se amplia durante toda a vida. Como membro de uma sociedade não ágrafa, enquanto o indivíduo conhecer a língua apenas pelo uso oral que dela faz, pode-se dizer que não a exercita em toda a sua potencialidade. É preciso que seja apreendida no seu aspecto escrito, tendo como ponto de partida a língua oral.

A alfabetização é um processo que pressupõe a homogeneização e normativização da língua escrita, por mais que estejamos cientes de que a língua não é homogênea. A alfabetização é um processo que se modifica a cada momento e deve resultar de um esforço conjunto do linguista e do educador.

Se alfabetizar é fazer a transposição de sequências de sons da fala para o código escrito, sem dúvida alguma existirá uma relação estreita entre fonética e fonologia e alfabetização. Esta relação vem a se estabelecer mais diretamente no domínio da ortografia. O problema básico é conseguir com que o alfabetizando domine o sistema ortográfico de forma automática, de tal modo que ele seja capaz de identificar os símbolos gráficos para fazer a leitura e também seja capaz de representar os segmentos sonoros através de elementos gráficos na escrita.

Pode-se dizer que um indivíduo está alfabetizado quando ele compreende perfeitamente a base do nosso sistema alfabético, quando ele entende que em um sistema de escrita existe uma relação som/letra. Não chega a apreender, no entanto, muitas vezes, como essa relação se estabelece em situações específicas, já que em nosso sistema de escrita um mesmo som pode ser representado por várias letras ou uma mesma letra pode representar vários sons. (cf. 2, e) É necessário, pois, conhecer a convenção ortográfica que regula a relação som/letra na escrita da nossa língua, uma vez que os estudos grafemáticos vieram mostrar que os sistemas fonológicos e grafêmicos são autônomos e quanto mais o sistema gráfico se desenvolve mais eles se afastam.

Não basta conhecer, contudo, a relação entre o símbolo gráfico e o elemento fonológico. É preciso conhecer ainda a frequência dessas relações para conhecer-lhe as regras, pois se a letra é a menor unidade segmental do sistema ortográfico, não podemos dizer que o fone seja a menor unidade do sistema fonêmico.

Alfabetizar — não podemos esquecer — não é apenas ensinar o código escrito, a mecânica da escrita. O funcionamento e a estrutura da língua são duas metas simultâneas que se pretende atingir nesse processo dinâmico. O aluno só é capaz de ler e escrever porque encontra na leitura e na escrita a linguagem que usa diariamente.

Não iremos discutir aqui métodos de alfabetização nem a elaboração de cartilhas. Pretendemos apenas exemplificar a relação direta de um esforço conjunto linguista/professor.

RONA (1965), ao tratar das relações entre a investigação dialectológica e o ensino da língua materna, afirma que o professor não é bem-sucedido muitas vezes na sua tarefa didática por não possuir preparação linguística suficiente para compreender em que consistem os fenômenos dialetais com que se depara. Isto sucede, principalmente, no âmbito da fonologia que é a mais difícil de compreender para o não especialista. Recomenda ele o exame dos erros de ortografia que os estudantes cometem como um valioso método de investigação para o linguista e ressalta que as suas conclusões podem ser de grande importância para o educador. Entre nós, CÂMARA JR. (1972) realizou um trabalho pioneiro dessa natureza que, infelizmente, não teve a continuidade desejada, embora recentemente apareçam dissertações de mestrado sobre o assunto (PAIVA, 1984).

Esses erros de ortografia refletem geralmente uma falta de correspondência entre o sistema de fonemas e o sistema de grafemas. Em alguns casos, a falta de correspondência se deve a que o sistema de grafemas responde a um sistema fonêmico distinto ao do dialeto local.

Ao fazer uma investigação na zona fronteiriça de Rivera, norte do Uruguai, descobriu Rona que naquela região o índice de reprovação era superior a 50%. A razão consistia principalmente na virtual impossibilidade de ensinar os estudantes a distinguir p/b, t/d, k/g, f/v (e, na zona brasileira, também s/z e š/ž), portanto, consoantes surdas de consoantes sonoras.

Usando o mesmo método de Mattoso Câmara, veio a determinar que a pertinência do traço de sonoridade se havia perdido naquela região e que aqueles sons se opunham enquanto [± tenso]. Um sistema dessa natureza funciona perfeitamente bem e as dificuldades advinham do fato de os professores, ao ensinar o valor das letras, ao ler e ditar, preocupados em pronunciar claramente as consoantes, produziam consoantes sonoras tensas que os falantes da região não podiam identificar, dentro de seu sistema, como sonoras — pois as consideravam tensas —, uma vez que [+son] corresponde a [–tenso] e [–son] corresponde a [+tenso]. Ao ouvirem palavras como *domingo* e *burro*, escreviam *tominco* e *purro* e assim sucessivamente.

Além de enfocar o problema do ponto de vista do sistema fonológico do dialeto local, procurou desenvolver também um trabalho junto aos professores, no sentido de aprenderem a pronunciar as consoantes sonoras como [–tenso], vindo a obter uma recuperação dos estudantes de até 90%.

A análise fonêmica pode, pois, evidenciar quais os tipos de dificuldade que um aprendiz encontrará ao ser alfabetizado e tentar estabelecer as relações fonema(s)/grafema(s) em línguas que possuem tradicionalmente um sistema de escrita, como o são os dos casos apresentados até agora. Dois estudos, SILVA (1981) e LEMLE (1987) nos dão um amplo quadro dessas relações no português do Brasil.

Há, porém, em nosso país, cerca de 120 línguas ágrafas, isto é, línguas que não possuem um sistema de escrita. São as línguas indígenas que contam com cerca de 200.000 falantes. Alguns exemplos, referentes à fonética e à fonologia dessas línguas, foram apresentados no decorrer dos capítulos precedentes. Essas populações, de acordo com o Estatuto do Índio (Lei 6.001 de 19/12/73), têm direito a uma educação especial e bilingue. Foi um real progresso, na história das relações entre índios e brancos em nosso país, o reconhecimento da diversidade linguística dessas minorias étnicas e cumpre-nos, agora, tudo fazer para que a lei se transforme em realidade, dando, assim, a esses povos a possibilidade de uma participação mais ampla na sociedade, menos espoliada que a que lhes foi historicamente imposta. Um dos caminhos seguidos por aqueles que se preocupam em corrigir esse passado e reconquistar os direitos indígenas tem sido, ao lado da defesa da posse da terra, o de propiciar uma educação bicultural e bilíngue. A contribuição da fonologia nesse processo é muito valiosa, pois através de uma análise fonêmica os linguistas podem orientar e ajudar no estabelecimento dos grafemas a serem utilizados na escrita. Já há várias experiências nesse sentido e algumas populações já têm cartilha, livros de exercício e textos de leitura em sua língua materna. Alguns linguistas têm participado desses programas com bastante êxito. Outra etapa é, no ensino do português, prever as áreas de dificuldade que as populações autóctones enfrentarão através da *análise contrastiva* do sistema fonológico do português e os das línguas indígenas. Esse procedimento vem sendo adotado no ensino de línguas estrangeiras, como o inglês, o francês, o espanhol e o alemão.

Se, por um lado, o linguista pode ser útil para um melhor encaminhamento do processo de alfabetização, por outro essa tentativa de estabelecer as relações letra/fonema/som pode ser muito importante para que o pesquisador avalie sua análise fonológica e o alcance das teorias propostas. É um dos desideratos da análise linguística que se atinja o nível não só de uma *adequação observacional*, dando corretamente conta dos dados, mas também que se chegue a uma *adequação descritiva*, isto é, que a análise tenha uma realidade psicológica, traduzindo as intuições dos falantes da língua e a gramática que é internalizada pelos seus usuários.

E um dos meios de que se dispõe para avaliar uma análise, além das evidências internas de coerência do sistema, economia do número de elementos subjacentes na representação e naturalidade dos processos em jogo, são os erros que um aprendiz comete na escrita de sua língua. O artigo de E. SAPIR 'A realidade psicológica dos fonemas' (1981) é antológico e serve de base para muitos estudiosos da fonologia, preocupados em dar à sua análise fonológica uma dimensão psicológica. Relata-nos Sapir o seu espanto ao tentar ensinar índios norte-americanos a transcreverem suas línguas foneticamente. Observou que não transcreviam em termos fonéticos reais, mas sim em termos de uma reconstrução etimológica, muito próxima a um sistema morfofonêmico, que, supõe-se, traduziria o padrão fônico de suas línguas. O aprendiz nativo não está, pois, confundindo sons ou ouvindo mal, está, sim, reproduzindo na escrita uma representação fonológica que tem internalizada em sua mente.

Experiência semelhante é relatada por LEITE, SOARES & SOUZA (1987) no processo de alfabetização dos tapirapés, população de língua tupi-guarani do Estado de Mato Grosso. Assim, ao invés de um professor se irritar com os erros de seus alunos pode, se tiver uma formação em linguística, deles tirar bom proveito para uma reanálise da língua, tal como o fez Mattoso Câmara ao detectar as tendências do português falado, valendo-se da tediosa tarefa de corrigir redações de estudantes ginasianos.

Assim a fonética e a fonologia constituem um campo muito aberto e vasto, permitindo diversas indagações que se entrecruzam, como o estudo da produção dos sons do ponto de vista fisiológico e de suas características acústicas, sua discriminação e articulação, como são eles representados mentalmente, como mudam e como são utilizados.

A história da fonética e da fonologia, quer numa perspectiva teórica, quer em suas utilizações no cotidiano, nos mostra ser este um domínio da linguística essencial para um entendimento efetivo dessa faculdade mental, ainda não totalmente caracterizada e palco de grandes debates, que é a linguagem humana.

VI

Bibliografia comentada

CÂMARA JR., J. Mattoso. *Para o estudo da fonêmica portuguesa.* Rio, Simões, 1. ed., 1953; Rio de Janeiro, Padrão, 2. ed., 1977.

Leitura obrigatória para todos os interessados na fonologia do português. Apresenta uma análise do dialeto carioca seguindo a linha do Círculo Linguístico de Praga. Contém uma excelente introdução às concepções estruturalistas do fonema e delineia mais importantes tópicos para a interpretação dos sistemas consonantal e vocálico, além de um estudo sobre a rima na poesia brasileira à qual aplica princípios fonológicos. Na segunda edição há mudanças em algumas interpretações e são acrescentadas as resenhas ao livro de N.S. Trubetzkoy, *Grundzüge der Phonologie* e ao de R. Jakobson *Kindersprache, Aphasie und allgemeine Lautgesetze.*

DASCAL, Marcelo. (org.) *Fundamentos metodológicos da linguística.* v. II. *Fonologia e sintaxe.* Campinas, Ed. do Org., 1981.

Os princípios fundamentais do pensamento estruturalista e da fonologia gerativa são apresentados na tradução de quatro artigos clássicos dos seguintes autores: N. Trubetzkoy "A fonologia atual" (1933); E. Sapir "A realidade psicológica dos fonemas" (1933); F.W. Householder "Sobre algumas afirmações recentes na teoria fonológica" (1965); N. Chomsky & M. Halle "Algumas questões controversas na teoria fonológica" (1965).

FRY, D.B. *The Physics of Speech.* Cambridge, Cambridge University Press, 1979.

Excelente introdução ao estudo das propriedades acústicas dos sons produzidos pelo aparelho fonador, com especial atenção às técnicas para a análise espectrográfica a partir dos sons do inglês.

VIANA, A.R. Gonçalves. *Estudos de fonética portuguesa.* Lisboa, Imprensa Nacional/Casa da Moeda, 1973.

Coletânea que reúne os principais trabalhos realizados pelo autor na área de fonética (e fonologia). Os textos, o primeiro deles de 1883, têm um valor permanente para os estudiosos da fonética descritiva e histórica portuguesas. Contém ainda dados relativos à vida, obra e bibliografia desse foneticista.

JAKOBSON, Roman. *Fonema e fonologia.* Rio de Janeiro, Acadêmica 1967.

Seleção de ensaios publicados pelo autor a partir de 1927. Trata da fonologia e de sua aplicação a línguas específicas, dentro do pensamento linguístico da escola de Praga. O desenvolvimento das ideias centrais do autor é apresentado pela ordenação dos textos em ordem cronológica. A contribuição de Jakobson é fundamental para um melhor esclarecimento da noção de fonema, tanto na linguística sincrônica quanto na diacrônica.

MALMBERG, Bertil. *A fonética.* Lisboa, Livros do Brasil, 1954 (Trad. franc. *La phonétique.* Paris, Presses Universitaires de France).

Livro básico sobre fonética, destinado não ao especialista mas sim ao estudante em particular. Está dividido em 13 capítulos, inclui as várias subdivisões da fonética e algumas de suas aplicações práticas.

MATEUS, Maria Helena Mira. *Aspectos da fonologia portuguesa*. Lisboa, Centro de Estudos Filológicos, 19, 1. ed., 1975; Lisboa, Instituto Nacional de Investigação Científica, Centro de Linguística da Universidade de Lisboa. 2. ed., 1982.

Monografia bastante completa sobre o português de Portugal, seguindo as diretrizes da fonologia gerativa, tratando principalmente da flexão verbal. Apresenta um estudo inicial sobre os processos fonológicos mais gerais, como nasalização, neutralizações e assilabação, e um final sobre acentuação. Na segunda edição algumas análises são modificadas.

MATEUS, Maria Helena Mira & VILLALVA, Alina (Orgs.). *Novas perspectivas em fonologia*. Lisboa, Laboratório de Fonética da Faculdade de Letras de Lisboa, 1985.

Coletânea de artigos traduzidos do inglês, abordando alguns desenvolvimentos recentes e controversos da teoria fonológica, dos seguintes autores: Patricia Donegan & David Stampe "O estudo da fonologia natural"; Stephen R. Anderson "Razões pelas quais a fonologia não é 'natural'"; Joan Hooper "Os princípios substantivos da fonologia gerativa natural"; James W. Harris "Algumas observações sobre 'Os princípios substantivos da fonologia gerativa natural'"; John Goldsmith "A fonologia autossegmental". Na apresentação, Maria Helena Mira Mateus traça um quadro do estado da arte atual em fonologia.

SCHANE Sanford A. *Fonologia gerativa*. Rio de Janeiro, Zahar, 1975. (Trad. ing. *Generative Phonology*. Nova Jersey, Prentice-Hall Inc., 1973).

Trata da teoria da estrutura fonológica, examinando as propriedades dos sistemas fonológicos, a partir de exemplos de várias línguas, em geral, o inglês e o francês. Não há exemplos em português. Recomenda-se particularmente a leitura do capítulo 5 sobre "Processos fonológicos", em que nos dá conta de uma fonologia dinâmica.

SILVA, Myrian Barbosa da. *Leitura, ortografia e fonologia*. S. Paulo, Ática, 1981.

Como o título já indica, a autora procura mostrar as relações entre letra e som em seus vários contextos, tomando por base o dialeto baiano, seu próprio dialeto. O trabalho foi feito em 1972 para a obtenção do título de mestre, mas continua atual e de grande utilidade para aqueles que se interessam pela aplicação da fonética e da fonologia à alfabetização.

VII

Bibliografia geral

ALBRIGHT, Robert W. (1958)
The International Phonetic Alphabet: its backgrounds and development. In: *International Journal of American Linguistics* 24.1, parte 3. Bloomington, Indiana.

ANDERSON, Lambert (1959)
As vogais do tikuna: com especial atenção ao sistema de cinco fonemas. Rio, Museu Nacional, Série Linguística Especial 1, pp.77-120.

ARAGÃO, Maria do Socorro & MENEZES, Cleusa (1984)
Atlas linguístico da Paraíba. UFPB/CNPq. 2 v.

BLOCH, B. (1941)
Phonemic Overlapping. *American Speech* 16 pp. 278-84.

BLOOMFIELD Leonard (1933)
Language. N. York Henry, Holt. [Trad. esp. *Lenguaje.* Lima, 1964; trad. fr. *Langage.* Paris, Payot, 1970].

ABERCROMBIE, D. (1967)
Elements of General Phonetics. Edimburgo, Edinburgh University Press.

ALARCOS LLORACH, E. (1961)
Fonología española. 3 ed. Madri, Gredos.

ANGENOT, Jean Pierre & ISTRE, Giles L. (1985)
The phoneme 'in vitro' and 'ab ovo' or The boys of Brazil. Comunicação apresentada no X Encontro Nacional de Linguística. Rio de Janeiro, PUC (mimeo)

BISOL, Leda (1981)
Harmonização vocálica. Tese de doutorado. Rio de Janeiro, UFRJ.

CALLOU, Dinah (1987)
Variação e distribuição da vibrante na fala urbana culta do Rio de Janeiro. Rio de Janeiro, PROED/UFRJ.

CALLOU, Dinah & LEITE, Yonne (1986)
Variação das vogais pretônicas. *Simpósio diversidade linguística no Brasil.* UFBA, Instituto de Letras, CNPq/INEP, pp.167-9.

CAGLIARI, Luiz Carlos (1977)
An experimental study of nasality with particular reference to Brazilian Portuguese. Tese de doutorado. Edimburgo, University of Edinburgh.

CÂMARA JR., J. Mattoso (1953)
Para o estudo da fonêmica portuguesa. Rio de Janeiro, Simões.
(1969) *Problemas de linguística descritiva.* Petrópolis, Vozes.
(1970) *Estrutura da língua portuguesa.* Petrópolis, Vozes.
(1972) Erros escolares como sintomas de tendências linguísticas no português do

Rio de Janeiro. In: *Dispersos*, pp.35-46. Rio de Janeiro, Fundação Getulio Vargas.
(1974) *História e estrutura da língua portuguesa*. 2. ed., Rio de Janeiro, Padrão.

CHOMSKY, Noam & HALLE, Morris (1968)
The Sound Pattern of English. Nova York, Harper & Row [trad. fr. *Principes de phonologie generative*, cap. I, II, VII, VIII e apêndices, 1973. Paris, Éditions du Seuil].

CLEMENTS, G.N. (1976)
The autosegmental treatment of vowel harmony. *In*: DRESSLER, W. & PFEIFFER, O.E. (orgs.) Phonologica, 1976 III — 9. Innsbruck, Institut für Sprachwissenschaft.

COSERIU, Eugenio (1979)
Teoria da linguagem e linguística geral. Rio de Janeiro, Presença/S. Paulo, Universidade de São Paulo.

CRISTÓFARO, T. (1987)
Um problema na análise fonológica dos segmentos vocálicos em Krenák. D.E.L.T.A., 3(2) pp.185-95.

CUNHA, Celso 1987
Gramática da língua portuguesa. 10ª ed. Rio de Janeiro, MEC/FENAME.
(1985) *A questão da norma culta brasileira*. Rio de Janeiro, Tempo Brasileiro.

DONEGAN, Patricia J. & STAMPE, David (1985)
O estudo da fonologia natural. In: M.H. Mira Mateus & Alina Villalva (orgs.) *Novas perspectivas em fonologia*. Lisboa, Laboratório de Fonética da Faculdade de Letras de Lisboa.

FARIA, Ernesto (1933)
A pronúncia do latim: novas diretrizes do estudo do latim. Rio de Janeiro.

FERREIRA, Carlota *et alii*. (1987)
Atlas linguístico de Sergipe. Salvador, UFBA/FUNDESC.

FORTUNE, D.L. & G. FORTUNE (1963)
The Phonemes of the Karajá Language. (ms)

GAUCHAT, Louis (1905)
L'unité phonétique dans le patois d'une commune. Halle.

GNERRE, Maria Bernadete M. Abaurre (1983)
Alguns casos de formação de plural em português: uma abordagem natural. *Cadernos de Estudos Linguísticos* 5, pp.127-56.

GOLDSMITH, J. (1985)
Os objetivos da fonologia autossegmental. Maria Helena Mira Mateus & Alina Villalva (orgs.) *Novas perspectivas em fonologia*. Lisboa, Laboratório de Fonética da Faculdade de Letras de Lisboa.

GRAMMONT, Maurice (1933)
Traité de phonétique. Paris, Delagrave.

HALL, Robert A. (1942)
The unit phonemes in Brazilian portuguese. *Studies in Linguistic*, I, p.15.

HALLE, M. (1964)
On the basis of phonology. In: FODOR J. & KATZ, J. (orgs.) *The Structure of Language*, Nova Jersey, Prentice-Hall, Inc.

HAMMARSTRÖM, Göran (1953)
Étude phonétique auditive sur les parlers de l'Algarve. Uppsala, Almquist & Wiksells.

HJELMSLEV, Louis (1953)
Prolegomena to a Theory of Language. Baltimore. Memoir 7, IJAL [Trad. esp. *Prolegómenos a una teoría del lenguaje*. Madri, 1971].

HOOPER, Joan (1976)
An introduction to natural generative phonology. N. York, Academic Press.
HOUAISS, Antônio (1958)
Tentativa de descrição do sistema vocálico do português culto na área dita carioca. In: *Anais do congresso brasileiro de língua falada no teatro I* (Salvador, 1956). Rio de Janeiro, MEC.
JAKOBSON, Roman (1967)
Fonema e fonologia: ensaios. Rio de Janeiro, Acadêmica.
JAKOBSON, Roman, FANT, Gunnar & HALLE, Morris (1951)
Preliminaries to Speech Analysjs. Cambridge, Massachusetts, MIT Press.
JONES, Daniel (1918)
Outline of English Phonetics. Cambridge, Heffer & Sons.
KIPARSKY, Paul (1973)
How Abstract Is Phonology. FUJIMURA, O. (org.) *Three Dimensions of Linguistic Theory*, parte I: pp. 57-86. Tóquio, The TEC Corporation.
LABOV, William (1969)
Contraction, Deletion and Inherent Variability of the English Copula. *Language 45* (4), pp.715-62.
LACERDA, A. & HAMMARSTRÖM, G. (1952)
Transcrição fonética do português normal. *Revista do Laboratório de Fonética Experimental*, Universidade de Coimbra, 3, pp.5-16.
LACERDA, Armando de & ROSSI, Nelson (1958)
Particularidades fonéticas do comportamento elocucional da fala do Rio de Janeiro (em confronto com o português normal de Portugal). *Revista do Laboratório de Fonética Experimental,* 4, pp.5-102.
LADEFOGED, Peter (1971)
Preliminaries to Linguistic Phonetics: Chicago, The University of Chicago Press.
LAVANDERA, Beatriz (1984)
Variación y significado. B. Aires, Hachette.
LEITE, Yonne (1974)
Portuguese Stress and Related Rules. Tese de doutorado. Austin, The University of Texas at Austin.
LEITE, Yonne, SOARES, Marilia & SOUZA, Tania (1987)
O papel do aluno na alfabetização de grupos indígenas: a realidade psicológica das descrições linguísticas. In: OLIVEIRA Fº, J. Pacheco de (org.) *Sociedades indígenas & indigenismo no Brasil*. Rio de Janeiro, Marco Zero/UFRJ.
LEMLE, Mirian (1987)
Guia teórico do alfabetizador. S. Paulo, Ática.
LIBERATO, Yara Goulart (1978)
Alterações vocálicas em fínal de palavra e a regra de palatalização. In: *Ensaios de linguística* 1, pp.80-95. UFMG.
LIBERMAN, M. & PRINCE, A. (1977)
On Stress and Linguistic Rhythm. *Linguistic Inquiry* 8, pp. 249-336. Cambridge, Massachusetts, MIT Press.
LÜDTKE, Helmut (1952-1953)
Fonemática portuguesa. In: *Boletim de filologia* 13, pp.273-88 e 14, pp.197-217. Lisboa.
MAIA, Vera Lúcia M. (1986)
Vogais pretônicas médias na fala de Natal. Rio de Janeiro, mimeo.
MALMBERG, Bertil (1954)
A fonética. Lisboa, Livros do Brasil.

MARTINET, André (1968)
La linguística sincrónica. Estudios e investigaciones. Madri, Gredos, 1968. [Trad. esp. do orig.: *La linguistique synchronique. Éludes et recherches*. Paris, Presses Universitaires de France. 1965].

MATEUS, Maria Helena Mira (1975)
Aspectos de fonologia portuguesa, 1. ed. Lisboa, Centro de Estudos Filológicos, 19; 2. ed. (1982) Lisboa, Instituto Nacional de Investigação Científica.

MATTA MACHADO, Myrian T. (1981)
Étude articulatoire et acoustique des voyelles nasales du portugais de Rio de Janeiro. Tese de doutorado. Estrasburgo, Université des Sciences Humaines.

MORAES, João Antonio (1984)
Recherches sur l'entonation modale du portugais brésilien parlé à Rio de Janeiro. Tese de doutorado. Paris, Université de la Sorbonne Nouvelle.

MORAES BARBOSA, Jorge de (1965)
Étude de phonologie portugaise. Lisboa, Junta de Investigações do Ultramar.

MOTA, Jacyra (1979)
Vogais antes de acento em Ribeirópolis — SE. Dissertação de mestrado. Salvador, UFBA. 2 v.

NASCENTES, Antenor (1953)
O linguajar carioca. 2. ed. Rio de Janeiro, Simões.
(1961) Prefácio a: ROSSI, N. *Laboratório de fonética na Bahia*. Rio, Casa de Rui Barbosa, pp.7-8.

NOBILING, Oskar (1903)
Die Nasalvokale im Portugiesischen. In: *Die Neuren Sprache*. 12, pp.129-53. (Trad. port. de Dinah Callou e Maria Helena Marques em *Littera* 12, pp.80-109, 1974).

PAGEL, Dário F. (1981)
Étude acoustique des voyelles du portugais parlé à Blumenau à partir de la méthode sonographique. Tese de doutorado. Estrasburgo, Université des Sciences Humaines.

PAIVA, Maria da Conceição A. de (1986)
A supressão das semivogais nos ditongos decrescentes. Rio de Janeiro, mimeo.
(1983) *Variação dialetal e aprendizagem da ortografia*. Dissertação de mestrado. Rio de Janeiro, UFRJ.

PERINI, Mario A. (1971)
The Process of Nasalization: The Evidence from Portuguese. (ms)

PIKE, Kenneth (1947)
Phonemics: a Technique for Reducing Languages to Writing. Ann Arbor, University of Michigan Press.

PONTES, Eunice (1972)
Estrutura do verbo no português coloquial. Petrópolis, Vozes.

REDENBARGER, Wayne (1981)
Articulator Features and Portuguese Vowel Height. Massachusetts, Harvard University.

REED, David W. & LEITE, Yolanda (1947)
The Segmental Phonemes of Brazilian Portuguese: Standard Paulista Dialect. In: PIKE, *Phonemics: a Technique for Reducing Languages to Writing*, pp.194-202. Ann Arbor, University of Michigan Press.

RIBEIRO, José; ZÁGARI, Mário *et alii*. (1977)
Esboço de um atlas linguístico de Minas Gerais. MEC/Casa de Rui Barbosa/UFJF.

RODRIGUES, Ada Natal (1974)
O dialeto caipira na região de Piracicaba. S. Paulo, Ática.

RONA, José Pedro (1965)
Relación entre la investigación dialectológica y la enseñanza de la lengua materna *El Simpósio de Cartagena. Informes y comunicaciones*, pp.333-43. Bogotá, Instituto Caro y Cuervo.

ROSSI, Nelson (1961)
Laboratório de fonética na Bahia. Rio de Janeiro, Casa de Rui Barbosa.
(1958) *Laboratório de fonética na Bahia*. (*Breve notícia sobre sua criação e instalação*). Coimbra.

ROSSI, Nelson *et alii* (1963)
Atlas prévio dos falares baianos. Rio de Janeiro, MEC/INL.

SAPIR, Edward (1981)
A realidade psicológica dos fonemas. In: Dascal M. (org.) *Fundamentos metodológicos da linguística*. V. II. *Fonologia e sintaxe*. Campinas, Ed. do Org.

SAUSSURE, Ferdinand de (1969)
Curso de linguística geral. S. Paulo, Cultrix/Editora da Universidade de São Paulo. [Trad. orig. fr., 1. ed., 1916]

SCHANE, Sanford (1973)
Fonologia gerativa. Rio de Janeiro, Zahar.

SHOUP, June E. & LARRY, L. Pfeifer (1976)
Acoustic Characteristics of Speech Sounds. *Contemporary Issues in Experimental Phonetics* (Norman J. Lass, org.). N. York, Academic Press.

SILVA, Myrian Barbosa da (1981)
Leitura, ortografia e fonologia. S. Paulo, Ática.

SIMÕES, Anilce Maria (1981)
Some Sandhi Rules in Portuguese. In: *Ensaios de Linguística* 5, pp.148-64. UFMG.

SOARES, Marília L.C.F. (1983)
Traços acústicos das vogais em Tükuna. Comunicação ao 8º Encontro Nacional de Linguística (mimeo).

SOUZA, Tania C.C. (1983)
Das mudanças morfofonêmicas em português. In: *Ensaios de linguística* 9, p.207, UFMG.

STAMPE, David (1980)
Natural Phonology. N. York, Garland.

STEN, Holger (1944)
Les particularités de la langue portugaise. Copenhague.

STOUT, Mickey & THOMSON, Ruth (1974)
Fonêmica Txucarramãe (Kayapo). *Série Linguística* 3, pp.153-76. Brasília, Summer Institute of Linguistics.

TRUBETZKOY, Nikolai S. (1949)
Principes de phonologie. Paris, Klincksieck. [Trad. J. Cantineau do orig. al. 1. ed. 1939].

VIANA, A.R. Gonçalves (1973)
Estudos de fonética portuguesa. Lisboa, Imprensa Nacional/Casa da Moeda.

WEINREICH, Uriel, LABOV, William & HERZOG, Marvin I. (1968)
Empirical Foundations for a Theory of Language Change. In: LEHMANN, W.P. e MALKIEL, Y. *Directions for Historical Linguistics*, pp.95-195. Austin, University of Texas Press.

Índice de nomes e assuntos